Le massage pour tous

Couverture

- Maquette:
  JACQUES ROBERT

Maquette intérieure

- Conception graphique:
  JEAN-GUY FOURNIER
- Photographies:
  LORNE FROMER

DISTRIBUTEURS EXCLUSIFS:

- Pour le Canada:
  AGENCE DE DISTRIBUTION POPULAIRE INC.*
  955, rue Amherst, Montréal H2L 3K4 (tél.: 514-523-1182)
  *Filiale de Sogides Ltée
- Pour la France et l'Afrique:
  INTER-FORUM
  13, rue de la Glacière, 75013 Paris (tél.: 570-1180)
- Pour la Belgique, la Suisse, le Portugal, les pays de l'Est:
  S.A. VANDER
  Avenue des Volontaires 321, 1150 Bruxelles (tél.: 02-762-0662)

Gilles Morand

Le massage pour tous

Bibliothèque nationale du Québec
Dépôt légal — 2e trimestre 1982

ISBN 2-89044-092-3

La peau est ce qu'il y a de plus profond en moi
Paul Valéry

Tout par amour, et rien par la force.
les Bourguignons

Il n'y a pas de mal à se faire du bien.

Remerciements

Je tiens à remercier tous ceux qui ont participé de près ou de loin à la réalisation de cet ouvrage:

Normand, pour l'aide intelligente qu'il a su porter à la rédaction du texte, entre autres choses...; Lorne, pour avoir su capter la magie des mouvements sur pellicule; Jeanine, grâce à qui j'ai découvert le massage et l'expression dramatique; Yvan (secrétaire de l'A.M.Q., Association des Masseurs du Québec), pour son aide technique; François et Jeanine, Yvan et Ginette, Paul, Camille, Gabor, Linda, qui ont ouvert avec amour les portes de leurs "chez-eux"; les modèles, sans qui nous n'aurions jamais réussi ces merveilleuses photos: Pierre-Yves et Geneviève, Jean et Ginette ainsi que leur charmant fils Samuel, Suzie, Dominic, Claudine, Gabor et Andréa et enfin Lynda; merci enfin à tous ceux qui m'ont apporté leur soutien: Lucien et Berthe, Daniel et Christine, Pierre et Ginette, Denis et Claire, Jacques et Hélène, Yvon et France, Vital et Joan, Marcel, Fernand et Pauline, Jean-Claude, Léo-paul, Lyne et tous les autres... encore merci!

G.M.

Présentation

De toutes les formes de relaxation le massage est l'art qui procure la détente la plus complète.

Longtemps réservée à une classe privilégiée, cette pratique ancienne est de plus en plus populaire et accessible à tous.

Le massage est excellent pour la santé physique et mentale. Il peut être utilisé pour améliorer les contacts intimes ou d'une manière plus pratique pour détendre le corps fatigué et stressé. C'est la voie la plus naturelle pour communiquer avec autrui.

En effet on se rend vite compte à l'usage que le massage n'est pas uniquement un contact physique, mais qu'une relation émotionnelle plus profonde peut aussi s'en dégager. Le massage permet de se sentir mieux dans sa peau et ainsi d'améliorer ses relations avec son entourage.

Nous vivons à une époque où la société offre un vaste éventail de possibilités à qui veut les utiliser. L'implantation d'une technologie sans cesse grandissante permet à l'individu de se libérer plus facilement des corvées quotidiennes et de disposer ainsi de plus de temps libre pour s'adonner à ses activités préférées.

C'est l'ère de la rapidité, du tout cuit dans le bec, du prêt-à-porter, du "achetez maintenant et payez plus tard", du "faites marcher vos doigts" sur les boutons de service instantané. L'ère du progrès comme on dit.

Mais le progrès au profit de quoi ou de qui? L'accélération technologique, quoique très positive à première vue, provoque aussi dans sa course, des étourdissements et des vertiges en chacun de nous. Avec le rythme effréné de la vie, nos journées sont surchargées de stress. Nous vivons dans un climat social tendu, et les moyens utilisés pour nous libérer des pressions courantes sont bien souvent inefficaces, sinon complètement inutiles. La notion de "se faire plaisir" est partiellement faussée à la base.

Voilà pourquoi il est important de faire la différence entre la détente culturelle, rattachée à toutes les formes de loisirs (télévision, cinéma, musique, rencontres sociales avec consommation d'alcool, etc.) et la détente corporelle, que l'on atteint d'une manière plus naturelle (la méditation et le massage, par exemple).

Les loisirs culturels permettent de s'évader des contraintes quotidiennes, mais l'esprit et le corps continuent d'être agressés de toutes parts. Par la détente du corps, la notion de "plaisir" n'a plus le même sens.

Permettez-moi donc de redéfinir ici la détente naturelle comme: "une diminution de la tension par l'abandon de la personne au plaisir du moment, à travers le corps et l'esprit qui ne font plus qu'un". C'est la détente la plus complète que l'on puisse connaître, lorsque l'esprit se vide de toutes pensées ou interférences venant de l'extérieur, pour se mettre à l'écoute du corps.

Tous les jours, nous soumettons le corps à des épreuves qui tendent souvent à l'excès. En retour, nous prenons beaucoup moins de temps pour répondre à ses besoins vitaux; ou plutôt nous ne savons pas "trouver et prendre ce temps".

Comment peut-on négliger à ce point de s'occuper de soi-même? L'infiltration de la technologie de pointe dans les heures de loisirs y est, en partie, pour quelque chose. Elle éloigne subtilement la personne de son essence naturelle. Le conditionnement social, issu du rythme accéléré de la vie, nous comprime dans des habitudes fixes, qui nous tiennent à distance de notre véritable identité.

À travers les formes de loisirs socio-culturels, l'individu s'identifie à sens unique, dans son rapport avec les autres seulement. C'est ainsi qu'il bâtit son image, sa personnalité propre. Par l'expérience du massage, il s'identifie d'abord par rapport à lui-même, à travers les sensations de son corps, et toujours par l'entremise d'une autre personne. C'est la véritable essence de l'être qui est atteinte, et non ce qu'il reflète. Par ce contact subtil du toucher notre mode de communication devient plus raffiné,d'une façon qui transcende tout ce qu'on pourrait en dire. Seule l'expérience vécue peut confirmer le sens de cette affirmation.

Ces observations de comportement sont le fruit de dix années consacrées au développement harmonieux de la personne avec pour outils, l'étude du fonctionnement du corps humain, du massage sous différentes formes, de la nutrition et ma propre expérience de vie de tous les jours.

Le résultat de ces observations: la recherche du bien-être individuel et la communication interindividuelle sont les bases, qui ont besoin d'être redéfinies à l'aide d'un langage nouveau qui tienne compte des besoins fondamentaux de l'être humain.

Le besoin de communiquer nous est essentiel, et nous disposons du corps comme outil précieux pour établir un meilleur équilibre entre l'être et son environnement. Le massage fait partie de ce nouveau mode d'échange à développer. Ses origines sont très lointaines. Les Orientaux le pratiquent depuis des siècles. L'émergence de cette vieille science du corps dans la société occidentale répond à ce besoin inné d'échanges plus profonds entre membres d'une même espèce vivante.

À travers les âges, une multitude de techniques de massage se sont développées. C'est en puisant à ces différentes sources que j'en suis arrivé, suite à de nombreuses années de travail pratique, à établir une formule qui puisse être utilisée par le plus grand nombre de personnes possible.

L'impulsion naturelle du départ étant de faire partager à tous les joies et les plaisirs de mes découvertes personnelles, il fallait trouver ce langage particulier, d'images et de mots, qui joint l'utile à l'agréable.

L'oeil du photographe a capté l'atmosphère de douceur, de sensualité et d'intimité profonde qui doit se dégager d'une séance de massage tout en respectant l'application pratique des différentes techniques, de façon à refléter la continuité qui doit exister entre les manoeuvres, au cours de l'aventure exploratoire du massage.

Cet ouvrage s'adresse donc à tous. Autant à ceux qui veulent s'initier à cet art qu'aux autres, qui veulent parfaire leur formation dans ce domaine. Le massage est un art personnalisé, en ce sens qu'on adapte toujours les techniques proposées à sa personnalité ou à celle de la personne que l'on masse. Ce qui signifie qu'il faut tenir compte de ce qu'on aime faire et de ce que la personne massée aime qu'on lui fasse.

On trouvera d'abord dans ce manuel, la séance de massage intégral; ensuite, une section supplémentaire d'exercices pratiques à faire soi-même ou adaptable pour les enfants, ainsi que des exercices pour la femme enceinte.

La maîtrise de cet art s'acquiert par la pratique fréquente. L'expérience n'en devient alors que plus extatique, autant pour la personne qui donne le massage que pour celle qui le reçoit.

Mon intention profonde est de rendre hommage à la personne. Le massage est un jeu, où chacun s'amuse à se redécouvrir et à redécouvrir l'autre constamment, par le toucher.

Puisse l'effort fourni dans ces pages être un pas vers une meilleure union de tous les êtres, dans l'Amour, la Paix et l'Harmonie!

GILLES MORAND

I

La préparation

L'attitude physique et mentale avant le massage

Une séance de massage ne se réussit pas totalement sans une certaine préparation, qui est d'abord d'ordre psychologique (l'attitude que l'on adopte face à la session) et physique (le soin que l'on met à la préparation pratique et matérielle).

L'attention, le désir et beaucoup de sensualité: telle est la recette simple et efficace d'une bonne préparation au massage. En ne tenant pas compte de ces points de base, on diminue les effets bénéfiques, autant physiques que mentaux, que procure la session de massage.

Plus on crée une situation propice, plus on a de chance de se préparer adéquatement, pour en retirer le maximum de détente et de plaisir.

Les préparatifs

La préparation mentale

Le plaisir ultime du massage est de joindre une détente mentale à la relaxation physique. C'est la recette du bien-être total. Le massage permet à qui l'utilise convenablement et avec amour de se soustraire et de soustraire l'autre à tout

ce qui est lié au quotidien: travail, tension, fatigue, stress, responsabilités.

La seule autre exigence du massage est d'oublier toutes les inquiétudes, de relâcher les tensions morales et de se laisser aller à soi-même, à son propre plaisir. L'heure est enfin venue de s'occuper de soi, et lorsqu'on s'y applique il faut s'y consacrer entièrement!

L'avantage psychologique majeur d'une séance de massage est qu'elle aide à consolider les liens intimes et affectifs. Le massage favorise non seulement le rapprochement par le toucher, mais également la redécouverte constante des participants, par l'intermédiaire d'un jeu qui rend hommage au corps et à l'esprit. Le contact naturel et intime du massage crée une relation plus profonde entre individus. Un sentiment de partage, d'échange, de satisfaction commune s'installe alors.

Pour intensifier cette sensation de communication profonde, il est souvent conseillé de garder le silence quelques minutes, avant d'entreprendre la séance. Pendant cette période de silence, on vide son esprit de toutes ses pensées. L'effet de ce recueillement a pour but de ralentir le rythme effréné qu'impose la vie active de tous les jours. Une fois l'activité mentale ralentie, il est plus facile de se laisser aller.

Finalement, se détacher mentalement de toutes pensées, pour mieux se concentrer sur le corps, voilà l'attitude psychologique qui conduit à une meilleure préparation au massage. Aucun effort n'est requis pour atteindre cet état d'âme. Il n'y a qu'à devenir totalement réceptif, en se laissant aller au bien-être que l'on ressent.

L'atmosphère et l'environnement

Pour faciliter la décompression mentale, il est important de créer une atmosphère et un environnement propices à la détente.

Le choix de l'endroit est personnel à chacun. Plus le lieu est calme, plus il est favorable à une meilleure harmonie entre le masseur et la personne massée. Pour entreprendre quelques heures de massage, il faut pouvoir s'isoler le plus possible de toute interférence: téléphone qui sonne, amis qui viennent frapper à la porte, ou toute autre forme de bruit qui perturberait l'atmosphère de détente, que l'on cherche à créer.

Idéalement, un site de plein air dans la nature sous le soleil serait merveilleux. Si la séance doit se tenir à l'intérieur, le choix de la pièce dépend alors du confort (à la fois physique et psychique) qu'on y trouve. Il faut se sentir tout à fait à l'aise.

L'éclairage joue également un rôle important dans l'atmosphère à créer. Le soir, quelques chandelles ou un éclairage électrique tamisé suffisent à créer une atmosphère favorable à la détente.

L'effet de la musique au cours d'une session de massage peut s'avérer bénéfique ou, tout au contraire, nuire à l'écoute du corps. Toute musique doit être choisie pour prédisposer à la relaxation. Le volume doit être le plus bas possible. La musique pure de la nature serait encore l'idéal. Cependant, la musique n'est pas indispensable.

Encens et parfums peuvent aussi être ajoutés à l'ensemble des préparatifs. Ils aident à détendre le corps et l'esprit par l'entremise de l'odorat. La présence de plantes peut être aussi un élément positif parce qu'elles dégagent une quantité appréciable d'oxygène et facilitent ainsi le nettoyage sanguin du corps.

La température de la pièce doit être assez chaude pour faciliter la relaxation. Il peut être dangereux d'ouvrir une fenêtre pour laisser entrer l'air frais pendant la séance. La personne massée pourrait attraper froid et ressentir certains frissons désagréables qui nuiraient à une bonne détente. Si l'on tient à aérer, il est préférable de le faire quelques minutes avant d'entreprendre la séance, mais sans trop refroidir la pièce.

Le corps doit se reposer au maximum pendant le massage. Il faut donc éviter de le faire travailler de quelque manière que ce soit. Il est donc préférable d'attendre de 30 à 90 minutes après les repas avant de s'adonner au massage. Autrement, la digestion se fera pendant la séance et la détente de la personne massée en sera perturbée. Le même conseil s'applique à la personne qui masse.

Les outils de travail

L'équipement nécessaire à une séance de massage se résume à l'huile (l'agent de glissement), ainsi qu'à quatre serviettes de bain (ou plus) pour le confort des articulations (chevilles, genoux, cou). Quelques serviettes supplémentaires peuvent servir pour couvrir certaines parties du corps et les garder au chaud, pendant que l'on est occupé à masser une autre région.

La préparation du corps

Une fois les préparatifs matériels en place et l'esprit bien détendu, le moment est venu de préparer le corps au massage. Un bon bain chaud, afin de détendre les muscles et la peau, constitue un bon prélude au massage. La durée du bain ainsi que la température de l'eau peuvent varier selon les goûts. Une peau propre est plus agréable à masser.

Pour éviter d'irriter la peau de la personne massée, il est fortement conseillé de se couper les ongles.

Les huiles à utiliser

On peut utiliser sans crainte toute huile végétale ou minérale. Cependant, les personnes qui souffrent de maladies de la peau devraient consulter un dermatologue avant d'appliquer quoi que ce soit sur leur corps.

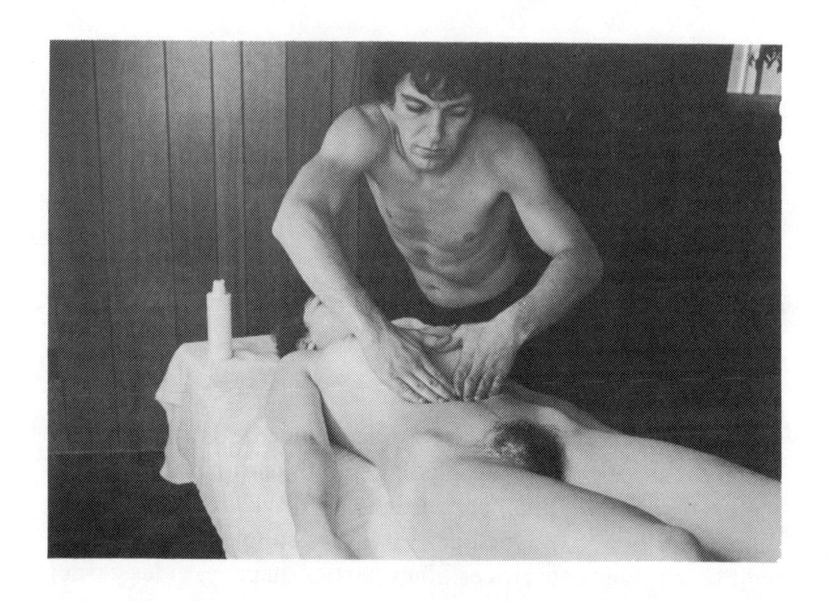

Une huile efficace ne s'applique qu'une seule fois sur la région à masser. Une huile médiocre n'est donc pas économique et prolonge la durée du massage.

L'huile de coco est une huile à conseiller. Elle reste longtemps sur la peau et nourrit bien l'épiderme en y pénétrant. Elle est préférable à toute autre parce qu'elle est facilement assimilable par toutes les peaux (99% des cas). Les risques de réaction cutanée (ou de différentes maladies de la peau) sont donc diminués. De plus, on la trouve facilement en pharmacie. L'huile pour bébé est à déconseiller, car il faut en appliquer trop souvent au même endroit.

Ceux qui aiment la diversité des odeurs peuvent parfumer leurs huiles avec des concentrés. Le talc est très agréable à l'odorat, mais il a le désavantage d'obstruer les pores de la peau.

Les liniments, les baumes et les onguents servent pour le traitement des douleurs névralgiques, rhumatismales, musculaires, ainsi que pour les rhumes, auxquels cas l'application de chaleur est souhaitable. Si la personne massée souffre de telles douleurs, on peut lui appliquer, à l'endroit affecté, un produit qui réchauffe comme l'Antiphlogistine.

L'huile à massage peut être chauffée mais très légèrement afin de ne pas brûler la peau, déposée ensuite dans un bol en terre cuite ou en verre elle est prête à utiliser.

Les mouvements de base du massage

Avant d'entreprendre toute forme de massage, il est primordial de bien connaître et maîtriser les différentes techniques de base utilisées dans ce livre.

Tous les mouvements qui figurent dans le massage intégral sont rassemblés autour de neuf techniques de base très simples.

Effleurement

- Passer les mains partout, très très légèrement, comme pour caresser.
  Cette prise de contact agréable éveille la région à masser et amène le sujet à mieux se laisser aller (photo 3).

Grattage

- Gratter doucement, en prenant soin de ne pas irriter la peau.
  Cette technique détache les cellules mortes de la peau et active la circulation sanguine (photo 4).

Pression à deux doigts

- Appliquer une pression suivie alternativement avec les deux pouces, comme si on les faisait marcher à petits pas.

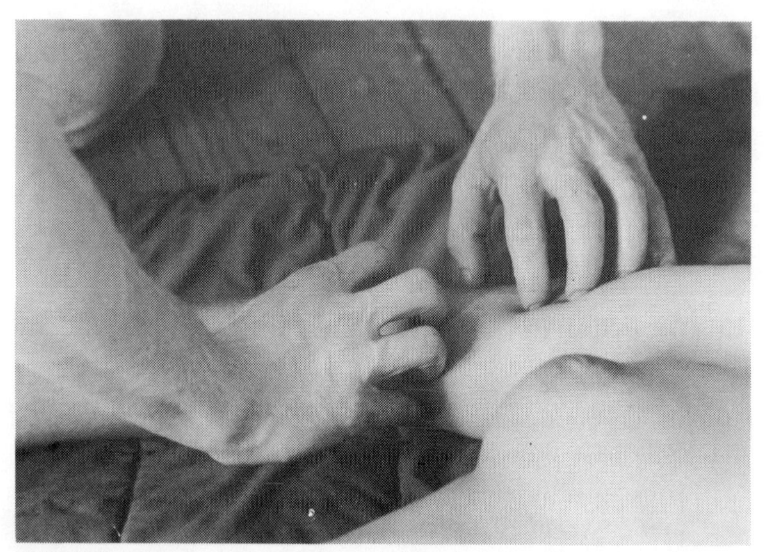

Photo 3

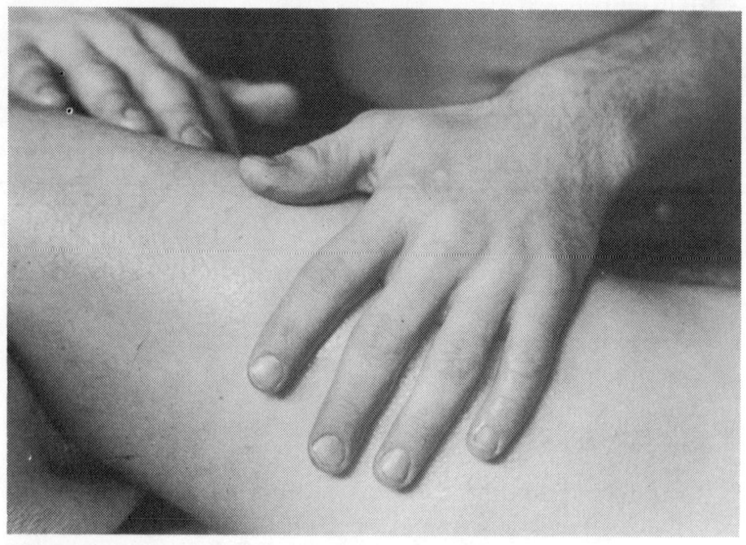

Photo 4

Ceci a une action positive sur l'épiderme et la circulation sanguine (photo 5).

Pianotage

- En utilisant les deux mains alternativement, pianoter sur la peau du bout des doigts.
  Cette manoeuvre agit sur la circulation sanguine et stimule l'énergie (photo 6).

Hachures

- Frapper avec le tranchant des mains, en alternant.
  Les doigts doivent être légèrement écartés, les poignets et les bras relâchés.
  Il est important de garder un rythme continu et régulier (photo 7).

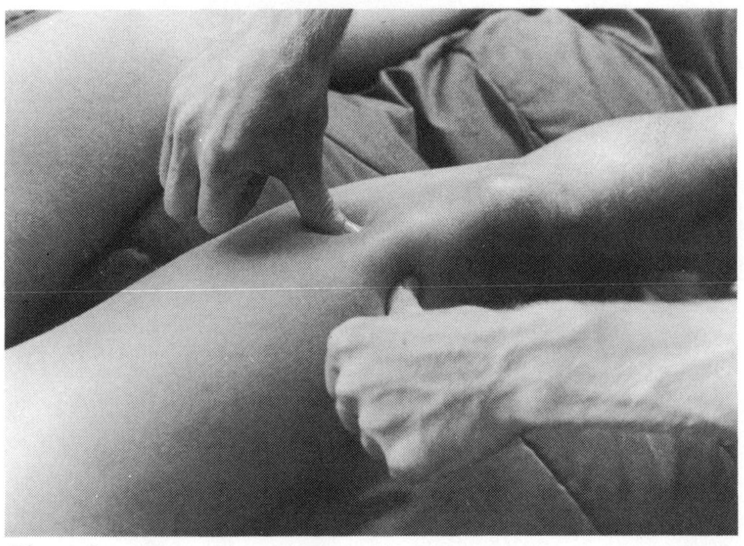

Photo 5

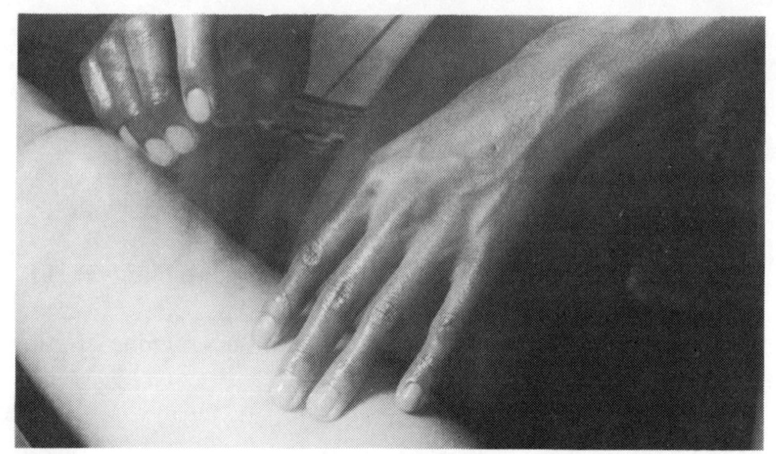

Photo 6

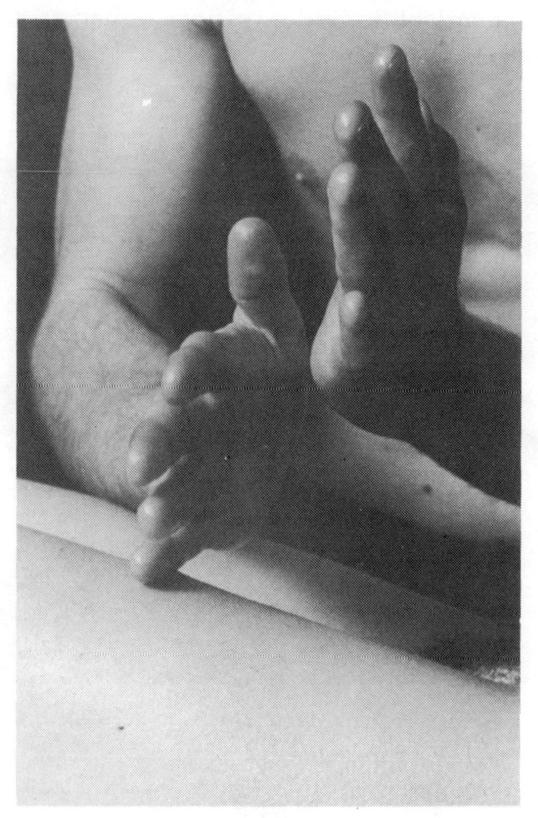

Photo 7

Pétrissage

- Pétrir le corps comme s'il s'agissait d'une pâte, et ce de plus en plus vigoureusement.
  Ceci procure une très importante action relaxante à la musculature (photo 8).

Torsion

- Travailler le muscle comme s'il s'agissait de tordre un linge.
  La pression ne doit pas être trop forte pour éviter de pincer la peau.
  La torsion a un excellent effet sur les muscles et la circulation sanguine (photo 9).

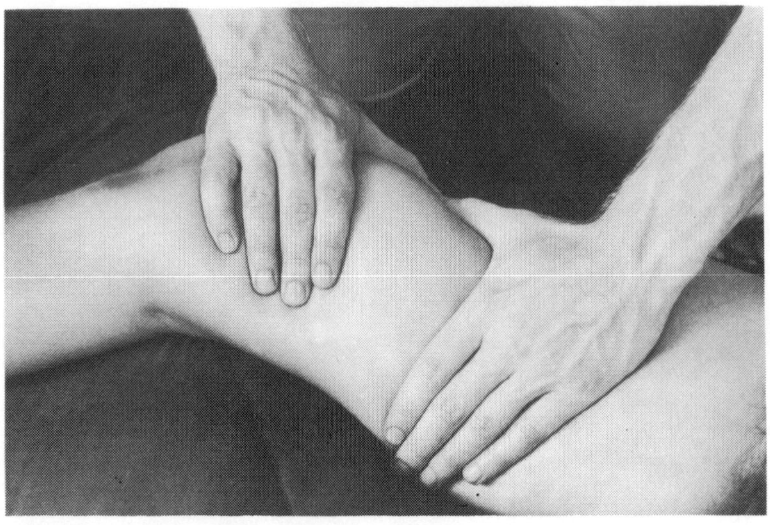

Photo 8

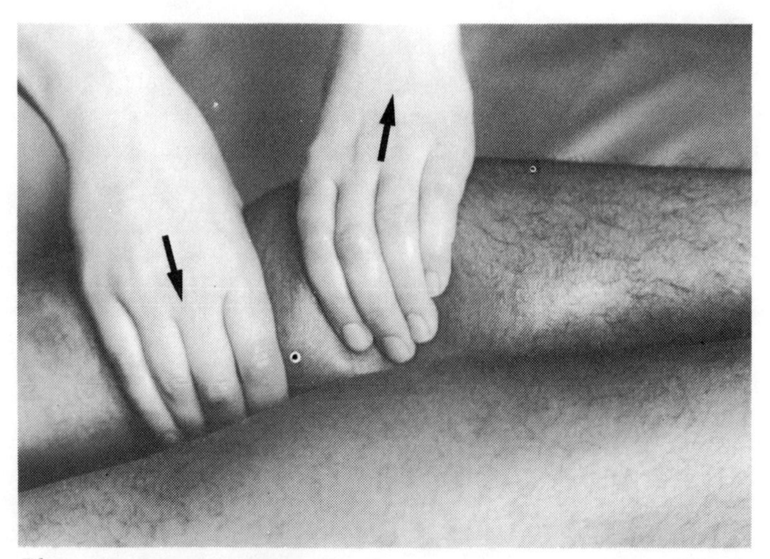

Photo 9

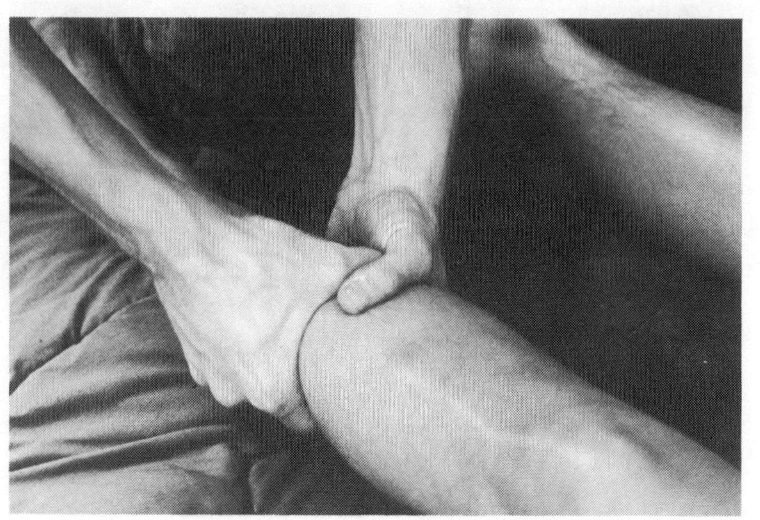

Photo 10

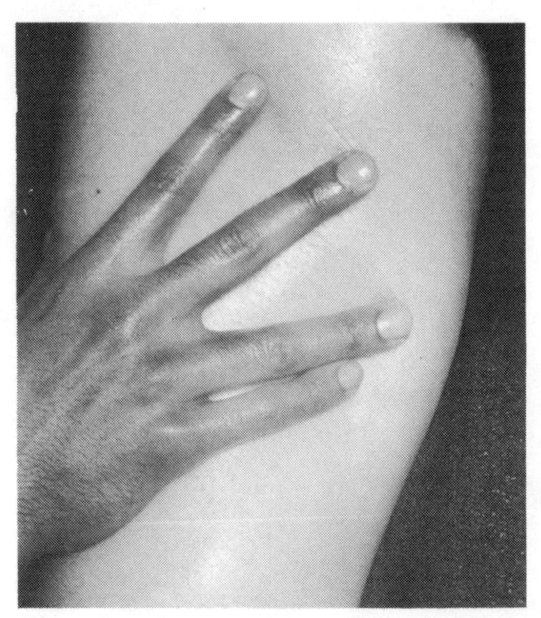

Photo 11

Essorage

- Tenir le membre à deux mains en formant une bague autour avec les doigts. Ce mouvement s'applique spécialement aux jambes et aux bras.
  L'essorage est aussi appelé "drainage" et le mouvement se fait toujours en allant vers le coeur.
  Il aide à vider les déchets toxiques du corps en agissant sur la circulation sanguine et lymphatique (photo 10).

Vibrations

- En touchant le muscle avec les doigts ou la paume de la main, bouger rapidement de gauche à droite pour créer un effet de vibration (photo 11). Cette opération a une action très relaxante.

II

La session de massage intégral

Le massage intégral présenté ici se compose de trois phases distinctes. Une première où la personne massée est étendue sur le dos, pour permettre le massage de tout le devant du corps; une deuxième où le sujet est couché sur le ventre, pour le massage du dos et de toute la partie postérieure du corps et une phase finale, où la personne massée s'étend à nouveau sur le dos pour le massage du visage qui termine le massage intégral.

Le massage intégral a été conçu pour être fait en entier au cours d'une même session. Toutefois, il peut être utilisé en partie. Par exemple, il est possible de masser seulement la jambe avant et arrière d'une personne qui souffre de douleurs aux jambes à la fin d'une dure journée.

On peut ainsi adapter n'importe quelle autre manoeuvre du massage intégral à un massage limité à une région en particulier. Il faut seulement respecter la même progression des mouvements en se reférant aux techniques de base: d'abord effleurer, puis gratter, faire une pression à deux doigts, pianoter, appliquer des hachures, pétrir, faire une torsion, un essorage, faire vibrer et finalement effleurer à nouveau toute la région.

Phase I
(position sur le dos)

La position de la personne massée

La position initiale que doit prendre la personne qui se fait masser est primordiale pour amener à une détente plus complète. Si elle est installée confortablement dès le début, elle se laissera aller au maximum et elle retirera des bienfaits considérables.

C'est étendue sur le dos, que la personne se sent plus relaxée pour commencer une séance de massage. Le masseur prend soin de placer une serviette ou un coussin sous les genoux de la personne massée afin de relâcher les muscles du ventre et de détendre ceux du dos.

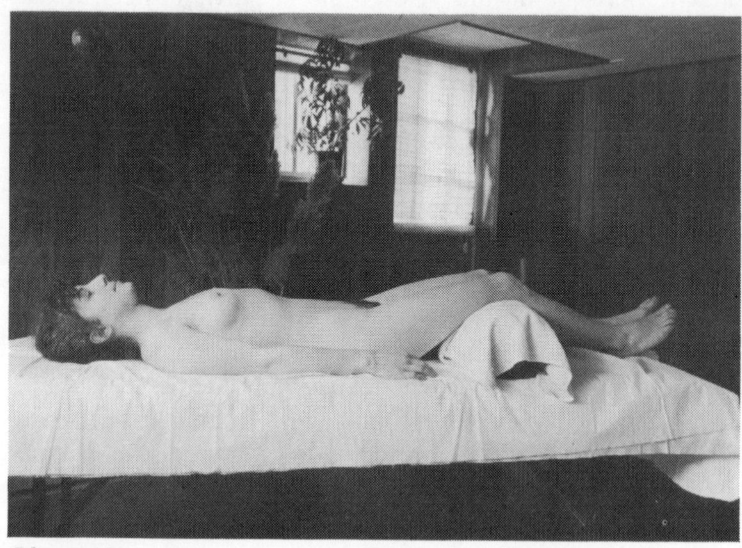

Photo 13

On peut placer un oreiller sous la tête. Toutefois pour garder à la région du cou son angle naturel, il est souhaitable de la laisser reposer à plat.

Quant aux bras, ils reposent de chaque côté du corps.

La technique d'un bon masseur

Le masseur doit adopter différentes positions pendant la séance. Aussi faut-il qu'il se sente très à l'aise pour bien exécuter les manoeuvres.

S'il est trop près ou trop loin, il se fatiguera vite. Il serait alors obligé de prendre un temps de repos qui briserait le rythme de la session.

Lorsqu'il doit se déplacer d'une manoeuvre à l'autre, le masseur doit apprendre à le faire toujours le plus lentement possible, pour ne pas se fatiguer inutilement et pour respecter la détente de la personne massée.

Le rythme des manoeuvres doit être constant du début à la fin. Après le massage d'une région, il faut toujours préparer la suivante par un effleurement complet. On masse par exemple une jambe au complet avant de passer à l'autre.

Il ne faut pas oublier d'ajouter de l'huile au cours de la séance pour conserver un bon glissement et éviter les échauffements désagréables de la peau. Les mains doivent rester le plus souvent possible en contact avec le corps (sauf lorsqu'il faut appliquer l'huile).

La préparation des mains

Le secret d'un bon massage réside dans le contact sensuel des mains du masseur et de la peau de la personne massée. Quand ce contact privilégié s'établit, on peut dire que le masseur a comme des mains de magiciens!

Des mains chaudes transmettent inévitablement plus d'énergie calmante que des mains froides qui provoquent sou-

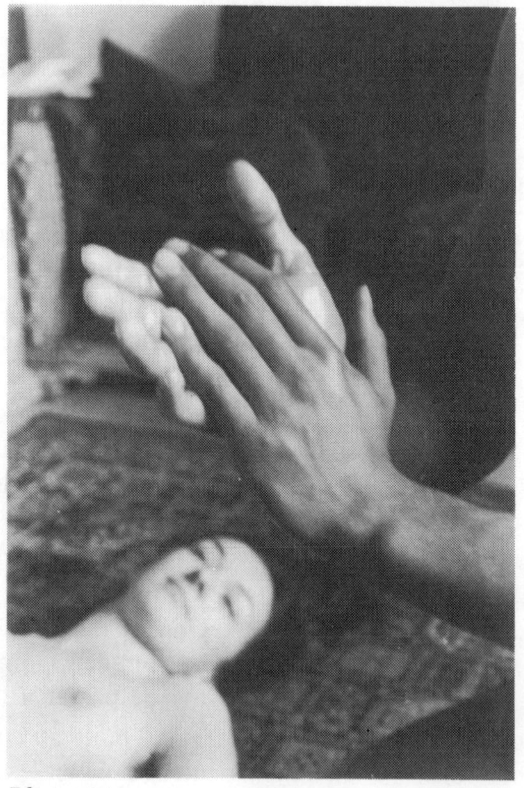

Photo 14

vent une sensation désagréable. On réchauffe les mains en les frottant vigoureusement ensemble pendant quelques secondes avec de l'huile de coco. Ceci permet une meilleure circulation du sang dans les mains du masseur et dégage une certaine énergie.

Si le masseur doit parler pour donner une indication à la personne massée, il devrait le faire à voix basse et doucement, mais le moins possible. Plus on parle pendant un massage, plus on brise le silence relaxant et plus la séance sera longue. Or une séance de massage trop longue risque d'être éreintante pour la personne qui masse.

L'ajustement des respirations

Bien respirer pendant la session amène à une meilleure détente. L'effet qui résulte de l'ajustement de la respiration du masseur et de la personne massée est bienfaisant et agréable à ressentir.

Il permet un meilleur contact entre les deux participants. De plus, en fonctionnant au même rythme respiratoire que la personne qu'il masse, le masseur se fatigue moins rapidement. Le rythme de son travail peut être ainsi plus constant. Le masseur doit être tout aussi détendu et à l'aise que la personne qui profite du massage.

La méthode d'ajustement de respiration est simple:

- La personne massée, en position sur le dos, se détend en respirant profondément, le plus lentement possible.
- Une fois qu'elle a atteint un rythme régulier et agréable, le masseur peut commencer à exécuter ses manoeuvres en respirant au même rythme que la personne massée.
- Les deux respirations ne faisant alors qu'une, le masseur est mieux ajusté à l'état de relaxation de l'autre et les énergies des deux corps circulent naturellement au même rythme.
- Il est possible que le masseur ne puisse pas toujours suivre le rythme respiratoire de la personne massée. Même si c'est le cas, le massage sera tout de même bénéfique.

Le nettoyage intérieur du corps

À l'image d'une voiture dont il faut changer l'huile régulièrement pour éviter qu'elle ne s'encrasse, le corps a besoin d'être nettoyé de ses déchets toxiques, afin de donner un meilleur rendement.

Cette manoeuvre d'ouverture est essentielle avant de pratiquer un massage intégral du corps.

L'accumulation des déchets dans le corps se fait dans une sorte de petite poche appelée: "Citerne de Pecquet".

Ce genre d'ampoule de forme variable se remplit d'un liquide à déchets (la lymphe) en provenance des jambes et du ventre.

- Avec un peu d'attention, il est facile de trouver la citerne qui se situe dans la région de l'abdomen. Il s'agit de prendre la main de la personne massée et de joindre ensemble trois doigts, l'index, le majeur et l'annulaire juste au-dessus du nombril. La citerne se trouve immédiatement après le troisième doigt. Elle a environ la grosseur de la moitié du pouce de la main.
- Une fois la citerne localisée, la personne massée emplit ses poumons d'air, puis expire lentement tandis que le

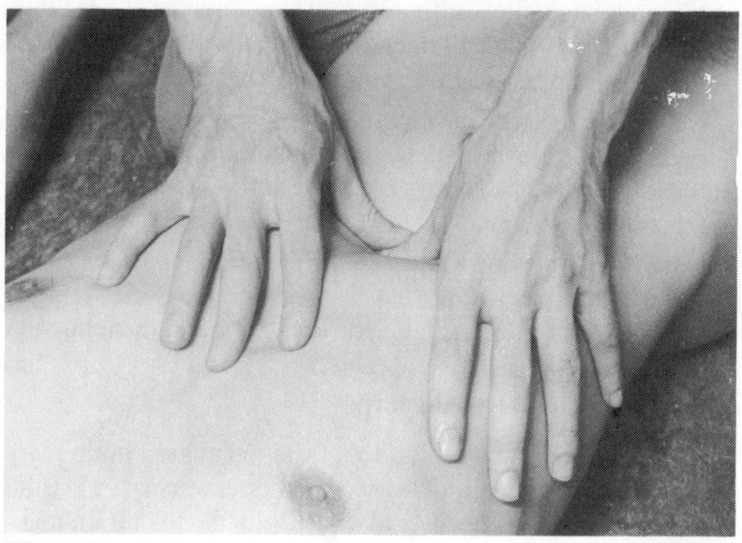

Photo 15

masseur appuie doucement sur la citerne avec la paume de la main, ou le pouce, en faisant vibrer légèrement.

- Pour un nettoyage efficace, il faut répéter au moins trois fois de suite ce mouvement.
- Il est important de noter qu'on ne peut vider la citerne qu'au moment de l'expiration. Autrement, on risque de faire mal.
- Il faut vider la citerne avant le massage, pour qu'elle soit prête à accumuler d'autres déchets toxiques pendant la séance.

Une fois cette précaution prise, on peut procéder au massage musculaire du corps.

Le dessus du pied

Les pieds qui supportent tout le poids du corps demandent une attention toute particulière.

La région des pieds est la plus éloignée du coeur. La circulation sanguine y est donc ralentie considérablement à cause de la force d'attraction de la terre qui nous attire vers le sol.

Les mouvements décrits ici ont pour objet de détendre et relaxer ces membres sensibles qui sont de plus souvent malmenés par le port de mauvaises chaussures.

Il faut tenir compte aussi du fait que le pied est une région d'où partent et arrivent différents réseaux d'énergie qui traversent tout le corps et correspondent à tous les organes. Une approche minutieuse des pieds est donc conseillée. D'abord il faut dégourdir les orteils:

- Tenir un orteil entre les doigts (photo 16), le faire vibrer en le secouant rapidement, puis le tirer délicatement.
  Il est bon que l'orteil craque. Mais s'il ne craque pas, il ne faut pas forcer. L'étirement des articulations aura tout de même son effet relaxant.
  Répéter le même geste pour chaque orteil du pied.

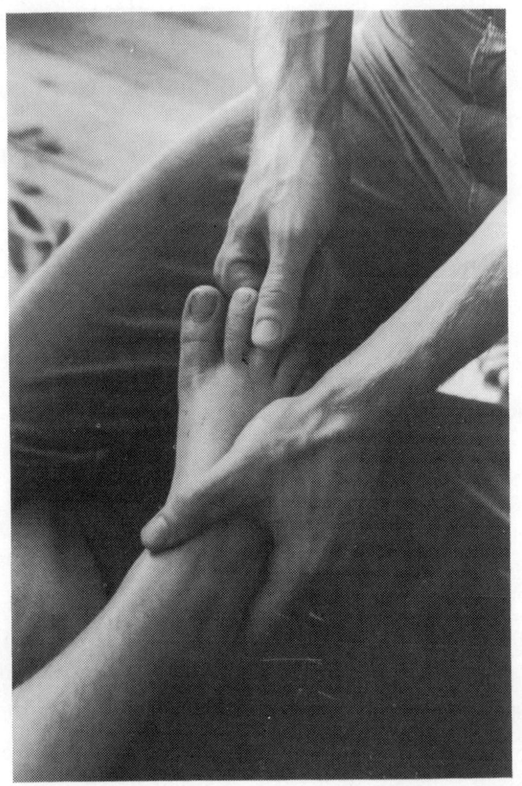

Photo 16

- Appliquer ensuite une légère pression avec les pouces entre les os de chaque orteil (photo 17).
  Remonter sur le dessus du pied en continuant le même mouvement avec les pouces sur toute la surface du pied jusqu'à la cheville.
- Cette manoeuvre agit en relaxant les points réflexes des orteils ainsi qu'en stimulant la circulation d'énergie.

On reviendra aux pieds pour continuer à les détendre lorsque la personne massée sera sur le ventre.

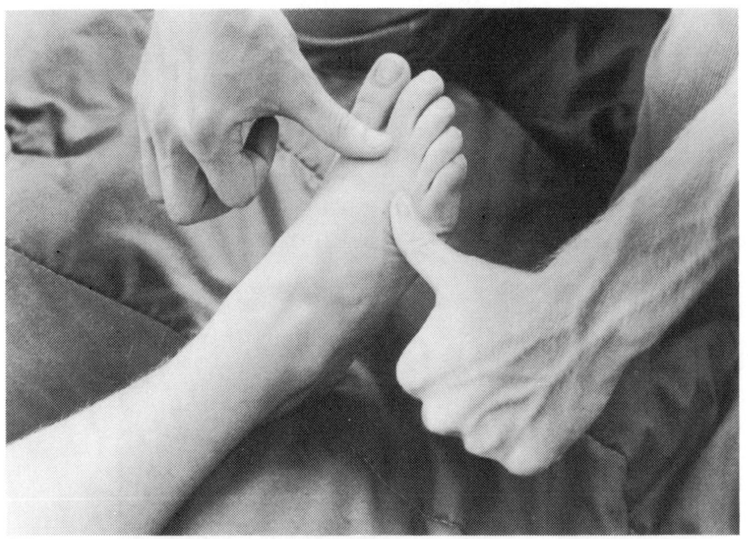

Photo 17

La cuisse avant

Les mouvements sur la cuisse doivent toujours être faits en remontant vers le coeur.

Par manque d'entretien, la région de la cuisse peut s'affaiblir.

L'exercice et le massage occasionnel des muscles de la jambe stimulent toute la cuisse et l'aident à être mieux développée.

- Une fois le massage du pied terminé le masseur enchaîne doucement en caressant tout le pied, remonte jusqu'au haut de la cuisse et redescend ensuite jusqu'à la hauteur du genou.
  La région située entre le pied et le genou ne nécessite pas de massage en profondeur. Il n'y a pas de muscles à cet endroit, seulement des os. Un effleurement suffit.

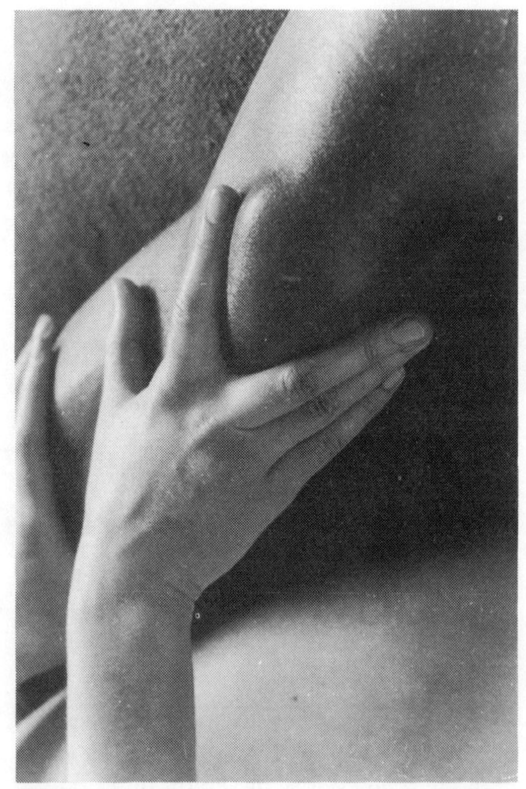

Photo 18

- Avant de procéder au massage en profondeur de la cuisse, un mouvement d'effleurement doit être appliqué sur le genou. Cette petite manoeuvre se fait en frottant le tour de la rotule du genou avec deux doigts: l'index et le majeur (photo 18).
  Ceci vise à détendre l'articulation du genou.
- Le masseur enchaîne avec un effleurement de la cuisse avant, un grattage, une pression à deux doigts, un pianotage, des hachures et un pétrissage en profondeur. Il faut accorder de dix à quinze secondes par mouvement.

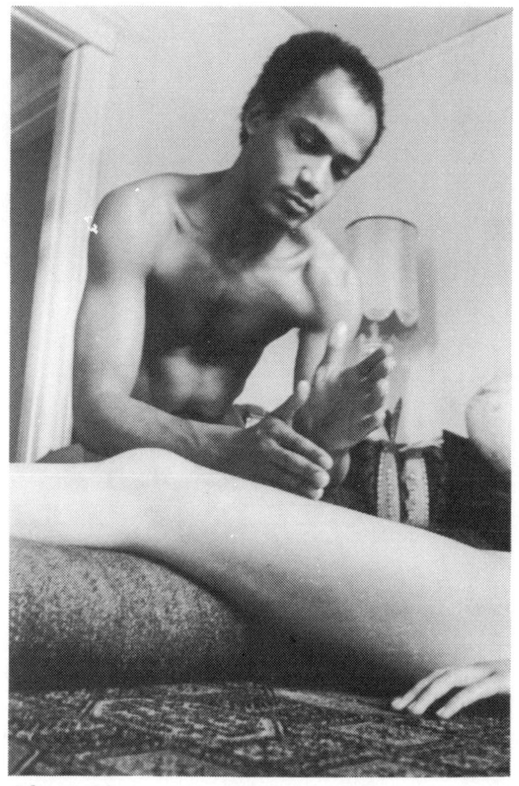

Photo 19

Hachures profondes

- Les hachures profondes agissent sur toute la musculature de la cuisse. Elles se pratiquent de la même manière que les hachures légères, sauf que les doigts sont collés ensemble pour exercer une meilleure pression sur les muscles (photo 19). On pratique les hachures une trentaine de secondes.

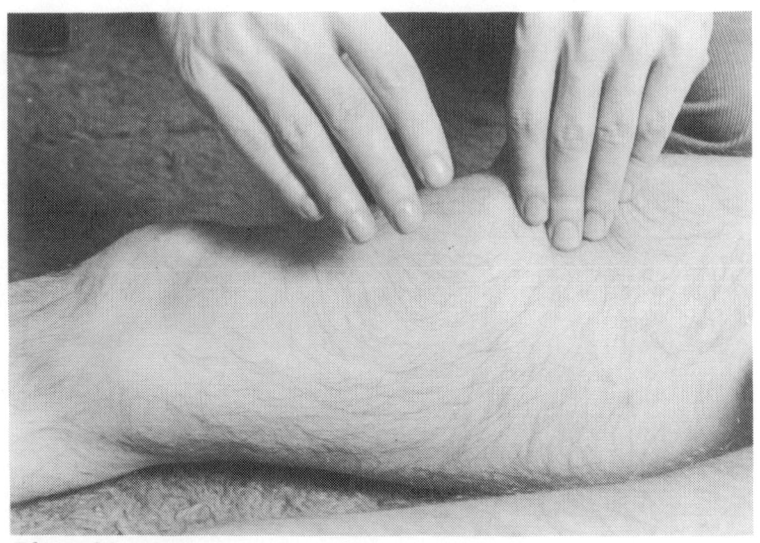

Photo 20

Fausse-pince

- Les mains du masseur sont refermées en forme de pince, comme si elles voulaient imiter un crabe!
- Le mouvement se fait en pinçant la cuisse légèrement entre le bout des doigts, sans faire mal, avec un mouvement vers l'extérieur de la cuisse, comme si on tirait sur un poil (photo 20).
- Les deux mains travaillent en alternance pendant environ vingt secondes.

Torsion de la cuisse

- En posant les deux mains sur la cuisse (photo 21), le masseur pratique un mouvement de torsion comme s'il voulait tordre un linge.

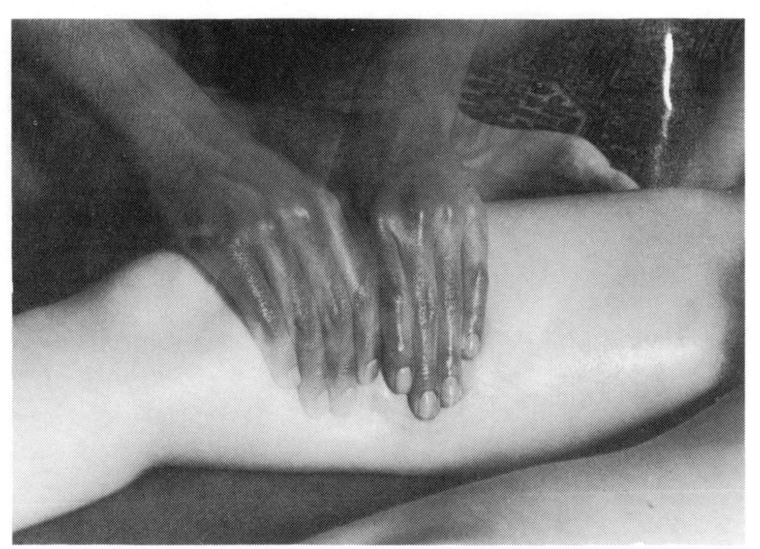

Photo 21

- Il faut ajouter de l'huile pour éviter les échauffements pendant la torsion.
- Cette manoeuvre agit sur toute la musculature de la cuisse; elle doit être répétée pendant une trentaine de secondes sur toute la surface de la cuisse.

Essorage

- Comme nous l'avons expliqué dans les manoeuvres de base, l'essorage a pour but de nettoyer la région de la cuisse des déchets toxiques par la voie du système lymphatique.
- Le masseur applique les mains en forme de bague sur la partie avant de la cuisse et remonte en appliquant une bonne pression (photo 22).

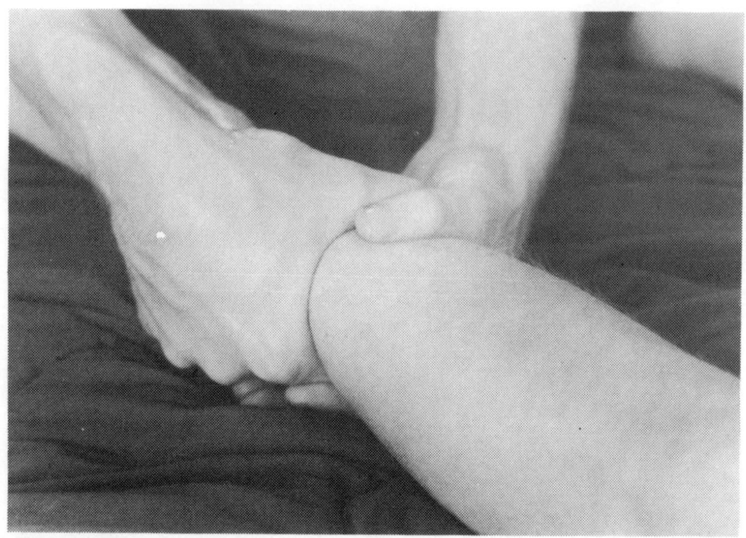
Photo 22

- Pour un bon nettoyage, ce mouvement doit être répété durant une trentaine de secondes environ.

Le ventre

Selon certaines traditions orientales, le massage de l'abdomen est très efficace pour relaxer le corps au complet. C'est ce qui explique pourquoi la plupart des orientaux débutent le massage par la région du ventre.

Le massage de cette région calme et détend tout le système digestif.

La digestion est étroitement liée au psychisme, affirme la philosophie orientale. Ainsi, une difficulté de digestion est reliée à une grande nervosité intérieure, à l'agressivité, alors qu'une digestion facile est synonyme de calme intérieur.

La relaxation du ventre est précieuse pour le bien-être de la personne massée, de plus le ventre est une région très sensuelle à explorer pour le masseur.

La série s'ouvre de la manière habituelle avec un effleurement complet du ventre. Le mouvement doit être appliqué dans le sens des aiguilles d'une montre pendant au moins deux minutes. C'est le temps nécessaire aux muscles du ventre pour se relâcher complètement. Ensuite seulement on commence le massage en profondeur.

Purge du colon

Exécuté comme il se doit le mouvement de la purge du colon aide à faciliter le travail digestif.

La purge du colon est le nettoyage du tube digestif. La pression appliquée par le masseur avec les mains doit être progressive: d'abord douce, puis moyenne et plus forte (toujours d'une manière tolérable pour la personne massée).

- Le masseur applique ses mains sur le côté inférieur droit de l'estomac (le côté inférieur gauche du ventre lorsque le masseur fait face à la personne massée), plus précisément dans la région de l'appendice (photo 23).
  De cette position il remonte le colon ascendant, suit le colon transverse (photo 24) et redescend de l'autre côté du ventre en suivant le colon descendant (photo 25). Le mouvement se fait toujours dans le sens des aiguilles d'une montre qui est le sens dans lequel la digestion se fait dans le tube intestinal.
  Le masseur attentif n'aura pas de difficulté à repérer le colon digestif du bout de ses doigts et ainsi à suivre son parcours dans le ventre.
  Pour obtenir un meilleur résultat il faut répéter plusieurs fois et lentement, ce mouvement, pendant deux minutes environ.

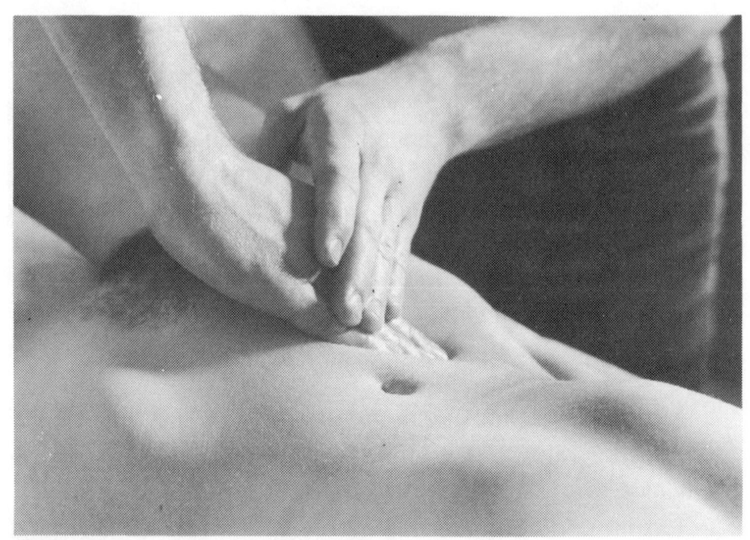
Photo 23

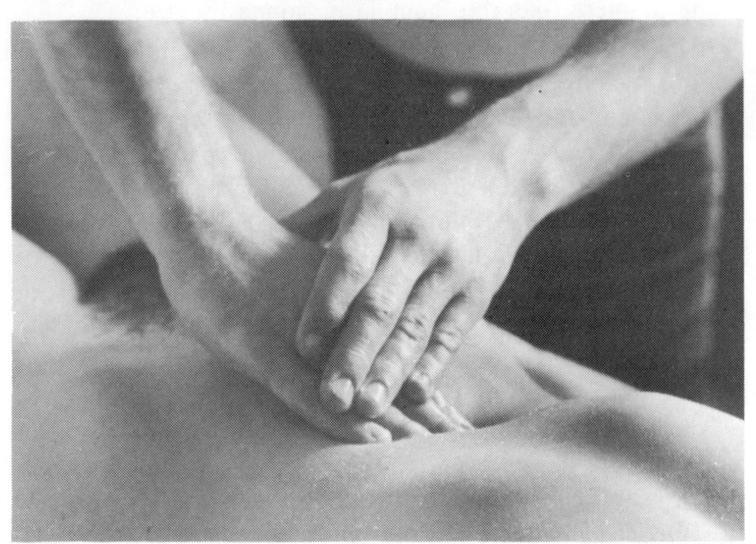
Photo 24

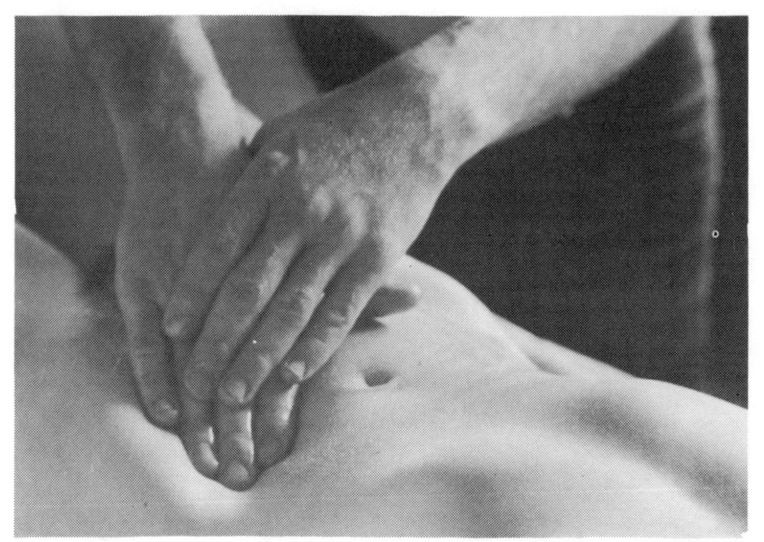

Photo 25

Serpentin

Cet autre mouvement a aussi un effet relaxant qui facilite la digestion.

- En posant une main, trois doigts au-dessous du nombril, remonter lentement en appliquant une pression tous les pouces environ et en suivant la forme d'un serpentin (photo 26).
- Ce mouvement doit être répété de quatre à cinq fois en augmentant graduellement la pression.

Vibrations

- Appliquer une main à plat sur le ventre et effectuer un mouvement de vibration rapide en mettant une légère pression pendant quelques secondes (photo 27).

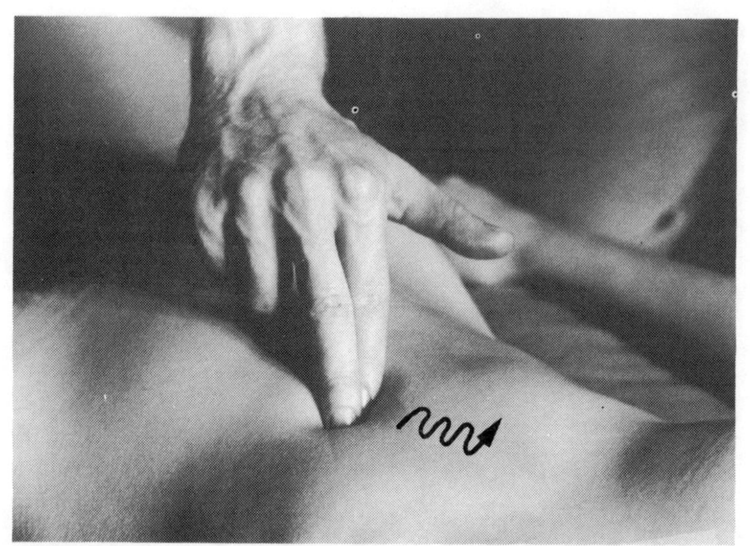

Photo 26

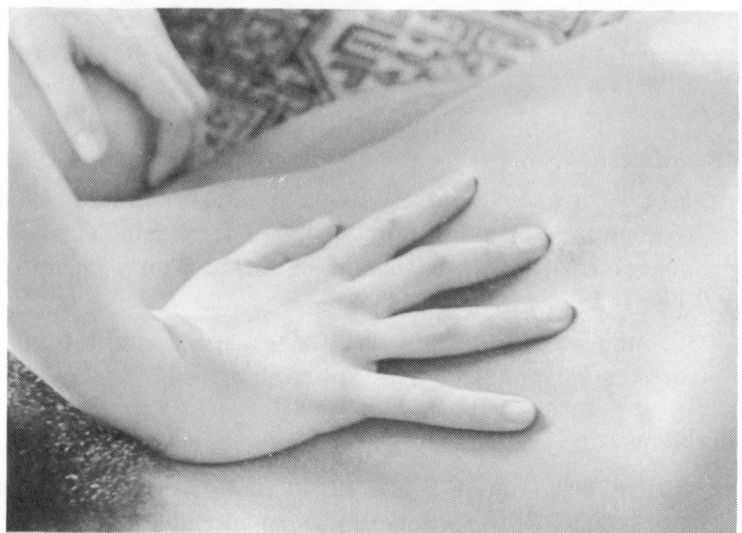

Photo 27

- La série de mouvement se termine par un doux effleurement général du ventre ainsi que de la poitrine, qui est l'étape suivante de la séance.

La poitrine

La poitrine est une autre région particulièrement agréable à masser.

On touche une zone sensible du corps, aussi faut-il y accorder un surcroît d'attention et de douceur. Les seins de la femme sont plus particulièrement sensibles, ils doivent être massés avec une extrême délicatesse!

Prise de la cage thoracique

- Après l'effleurement de toute la poitrine, la prise de la cage vise à faire travailler la musculature et ainsi à mieux relaxer le haut du corps.
- Ce mouvement s'exerce en appliquant la main droite sur la cage thoracique et la main gauche sur le côté (photo 28).
- La main droite descend sur le côté et la gauche remonte sur le thorax dans un mouvement de va-et-vient continu qui s'étend sur tout le côté, d'en dessous du bras jusqu'à la taille.

Pression à deux doigts

- Pour compléter la stimulation musculaire entamée dans le mouvement précédent, les doigts joueront ici un rôle important.
- Procéder d'abord à un grattage complet de toute la poitrine.
- Puis en remontant les côtes une à une, appliquer une légère pression avec deux doigts (photo 29).
- Le même mouvement doit être fait de chaque côté de la poitrine pendant trente secondes environ.

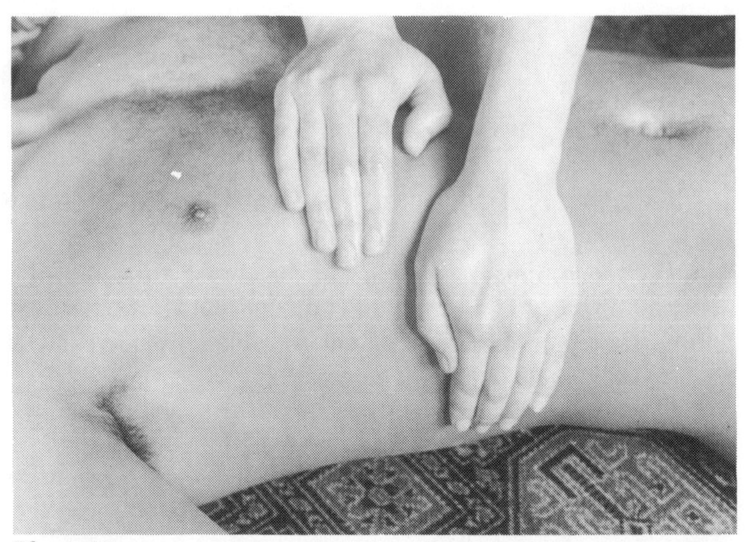

Photo 28

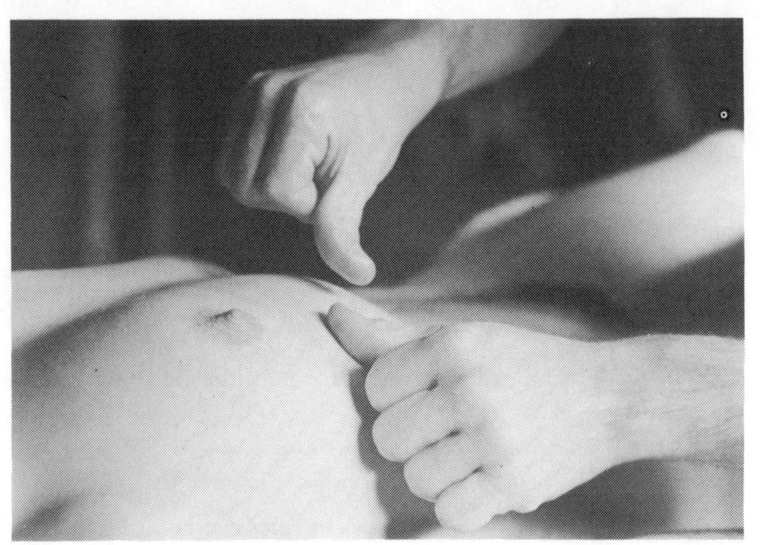

Photo 29

Arbre ascendant

L'effet bénéfique de l'arbre se situe surtout au niveau de l'énergie du corps. Physiquement, il est très efficace pour toute la poitrine.

C'est une manoeuvre efficace pour détendre en libérant les tensions nerveuses fréquentes chez la plupart des gens.

- Après avoir effectué quelques secondes de pianotage sur toute la poitrine, appliquer les mains à la base du ventre.
- Effleurer la peau en remontant jusqu'aux épaules et chasser l'énergie vers l'extérieur avec les mains. Ramener les mains de chaque côté du corps jusqu'à la position de départ (photos 30-31-32-33).
- Recommencer plusieurs fois en augmentant graduellement la pression pendant une trentaine de secondes environ.

Photo 30

Photo 31

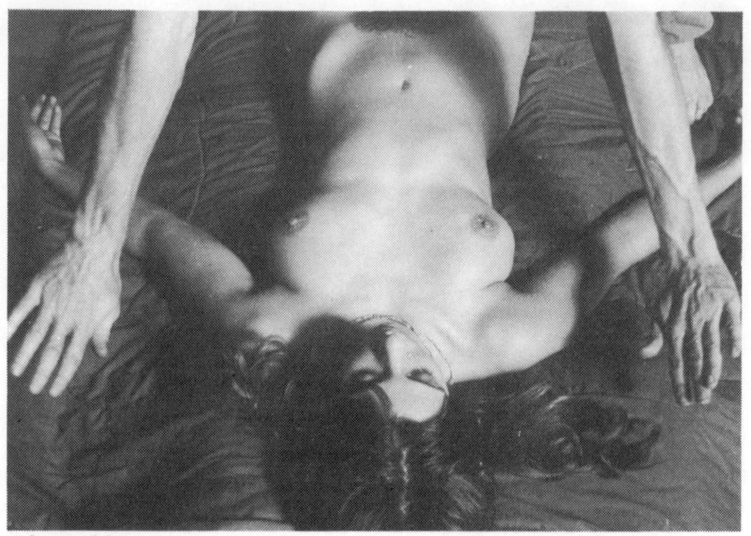

Photo 32

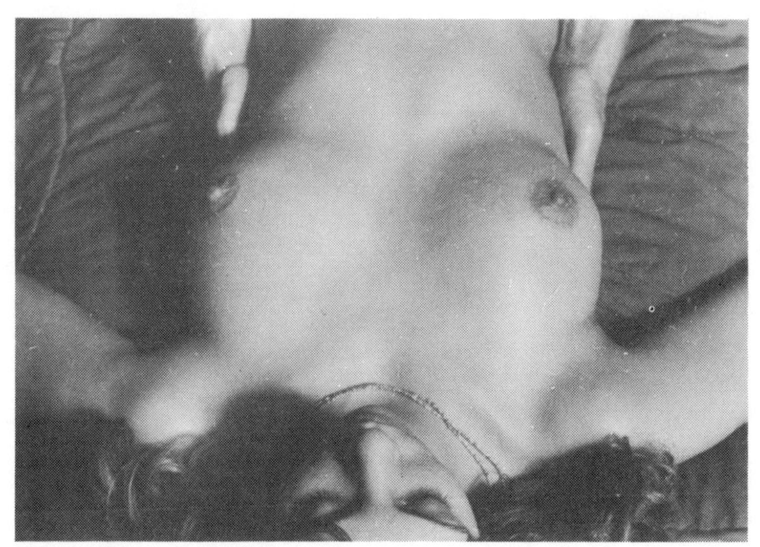

Photo 33

Arbre descendant

Le mouvement est le même que celui de l'arbre ascendant, mais inversé.

- Le masseur se met en position derrière la tête de la personne massée. Les mains posées sur la poitrine, il descend jusqu'au ventre en effleurant la peau, chasse l'énergie, puis remonte le long des côtes jusque sous le bras en soulevant avec une certaine pression la cage thoracique (photo 34-35-36).
- Il faut répéter le mouvement pendant environ trente secondes.
- La série de mouvements consacrée à la poitrine est complétée par quelques hachures très légères, en prenant soin d'éviter les seins chez la femme.

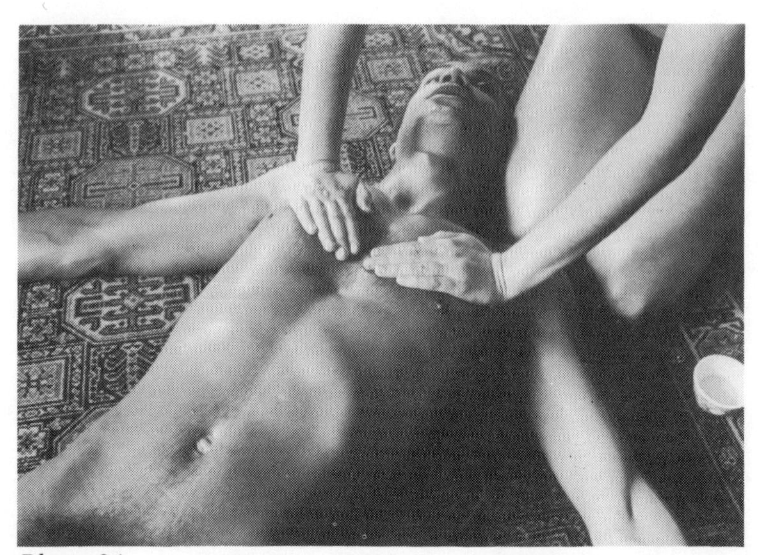

Photo 34

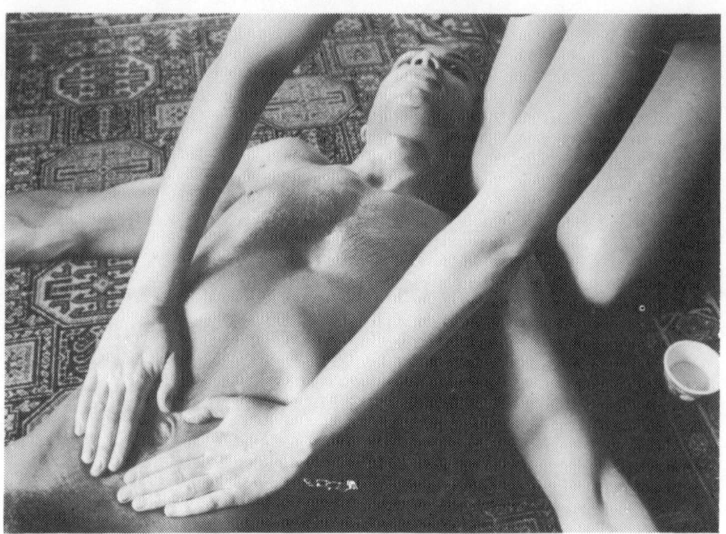

Photo 35

Photo 36

- Le massage de la poitrine se termine comme dans les autres cas par un effleurement complet. Ensuite on effleure un bras (droit ou gauche comme on veut) pour le préparer à être massé.

La main et le bras

La main et le bras sont les membres du corps qui travaillent le plus dans une journée, puisqu'ils sont constamment en action. La main joue un rôle important dans le massage surtout à cause de la chaleur qu'elle dégage.

Tout comme le pied, elle regroupe différents points d'énergie reliés à certains organes du corps.

Après relaxation des muscles et des articulations de la main, on procède à la détente de tout le bras par un nettoyage qui facilite la remontée des déchets toxiques jusqu'au coeur.

Traction des articulations des doigts

- La série de mouvements débute par un pétrissage de toute la surface de la main avec les pouces pour la préparer aux manoeuvres suivantes.
- Tenir ensuite chaque doigt un à un dans le creux de la main pour leur fournir de la chaleur relaxante.
- Tirer légèrement sur chaque doigt pour les détendre (photo 37).
- Enchaîner avec une traction de chacun des doigts en les repliant vers le haut et vers le bas alternativement (photo 38).

  Comme pour les orteils on ne doit pas forcer pour les faire craquer, même si le craquement des doigts a pour but de libérer les tensions.

  Cet exercice assouplit les articulations de la main.
- On peut terminer ces manoeuvres en pétrissant quelques secondes la paume de la main.

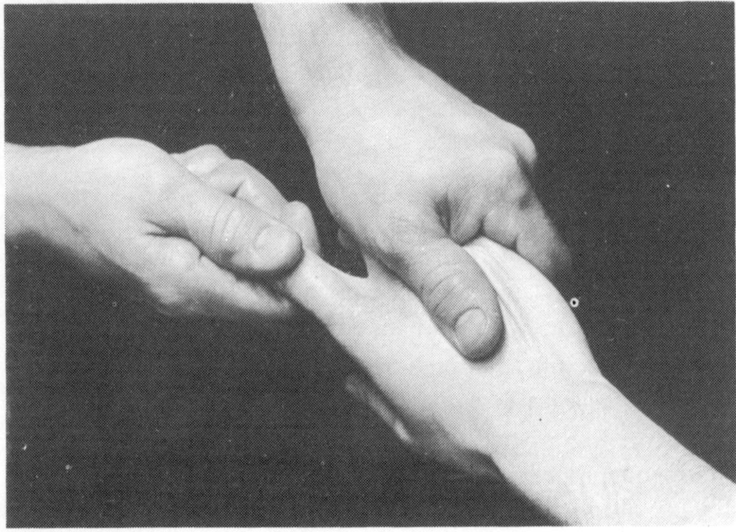

Photo 37

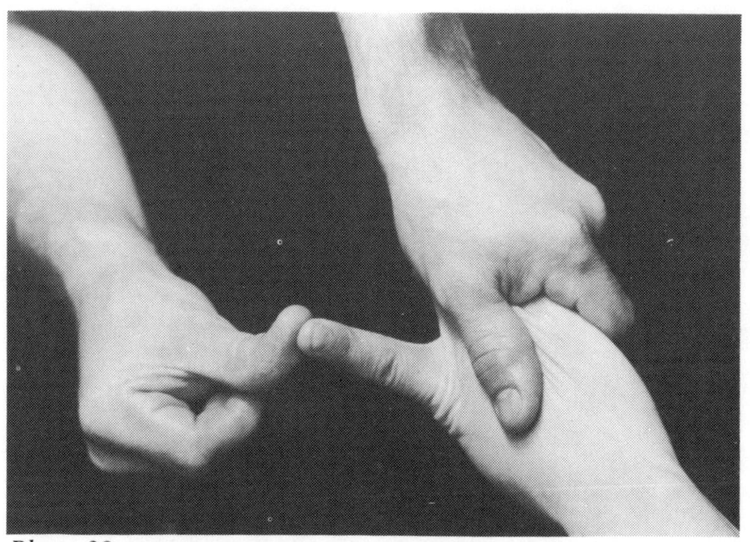

Photo 38

Drainage du bras

- Une fois la main bien détendue, le massage du bras débute par un effleurement complet suivi de frictions, de grattage, de pression à deux doigts, de pianotage et de hachures légères sur toute la surface du bras.
  On accorde une quinzaine de secondes à chaque manoeuvre.
- Elles ont pour effet de relaxer les muscles et d'activer la circulation sanguine.
- Dans la position de départ (photo 39), le masseur fait glisser la main enroulée autour du bras comme une bague jusqu'au coude en exerçant une certaine pression (photo 40). En faisant ce mouvement le masseur fait plier le bras vers l'épaule, les doigts toujours enroulés autour du coude. Il garde cette position pendant deux secondes, relâche et revient ensuite au point de départ.

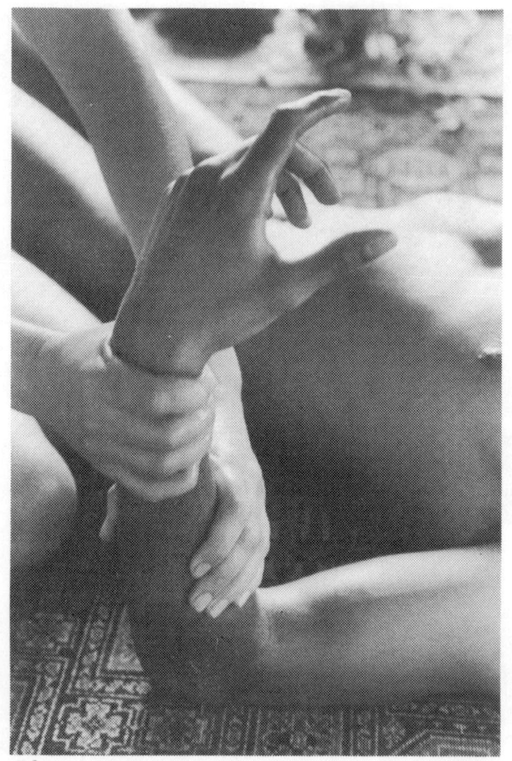

Photo 39

Le mouvement doit être répété pendant une vingtaine de secondes afin de permettre un nettoyage en profondeur. L'effet produit est semblable à celui d'une pompe qui pousserait les déchets toxiques du bras vers le coeur. Il ne faut pas oublier de plier le bras lors de l'expiration de la personne massée.

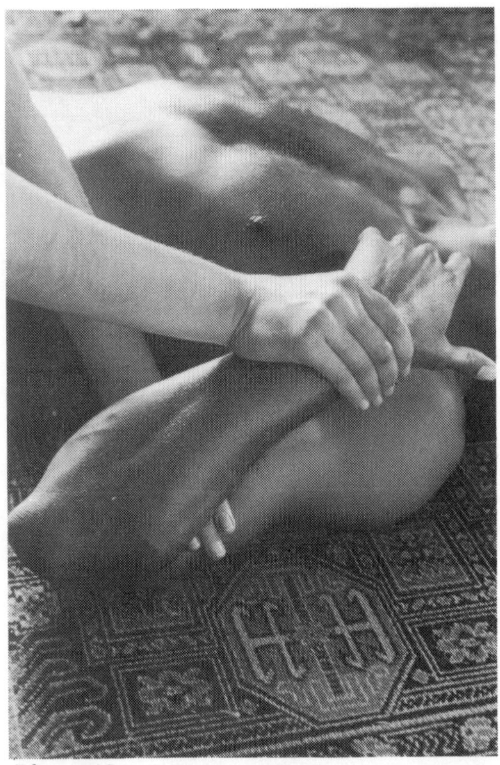

Photo 40

Drainage des biceps

- La même opération de nettoyage de l'avant-bras s'applique au reste du bras.
- En posant une main de chaque côté du bras on applique une certaine pression dans un mouvement alterné, comme si on passait deux rabots en même temps (photo 41).
- On termine ces mouvements par une torsion de toute la peau du bras. Cette torsion doit s'appliquer avec une pression moyenne.

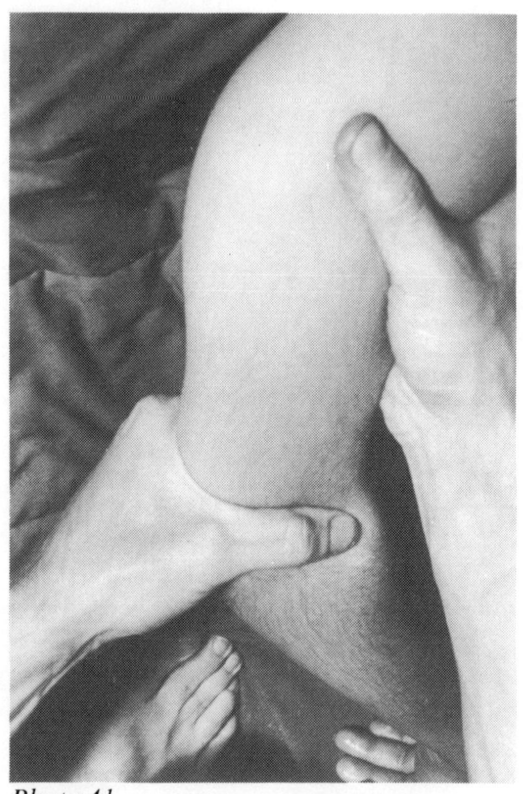

Photo 41

Le cou et l'épaule

Le cou est le support de la tête, donc une région très fragile. Il s'y accumule beaucoup de tensions; la tension des muscles du cou est souvent cause de maux de tête.

Le masseur doit donc concentrer son attention sur les manoeuvres qu'il exécute dans le cou s'il veut procurer une meilleure relaxation de cette région importante.

La tension aux épaules indique que la personne est stressée. Plus il y a de tension, plus le degré de stress est élevé.

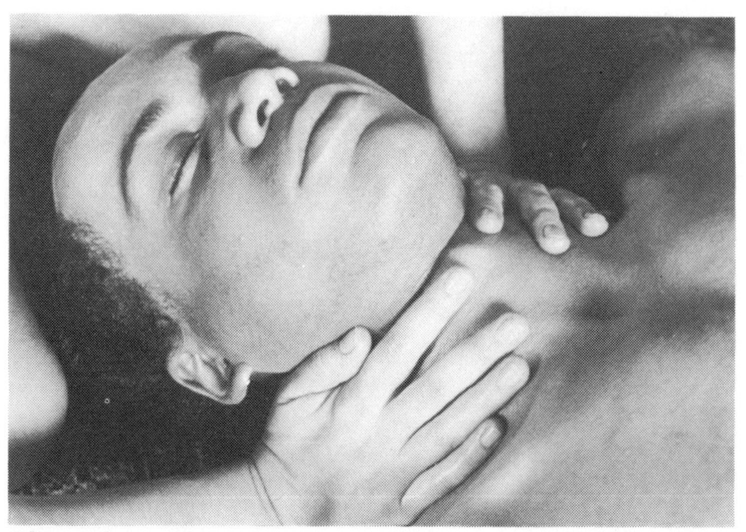
Photo 42

Balayage du cou

- Après avoir pris le temps de se relaxer en caressant très doucement le cou, le masseur pose ses mains à l'avant du cou, puis les tire vers l'extérieur en glissant sur la peau (photo 42).
- Cet effleurement à pression moyenne agit sur tous les muscles de la région.

Hachures et pétrissage du cou

- Toujours avec une grande délicatesse, le masseur applique une série de hachures très légères dans le cou, là où se trouvent les muscles (photo 43).
- Le masseur ne doit pas oublier de garder les doigts détachés et les poignets relâchés, en augmentant graduellement la pression, sans dépasser la zone de tolérance. Environ vingt secondes de chaque côté du cou.

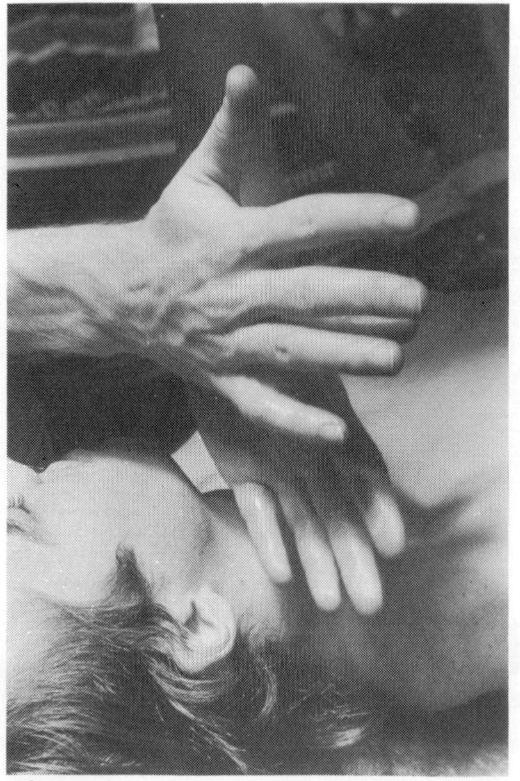

Photo 43

- Puis en appliquant les deux mains sur le muscle situé entre le cou et l'épaule de manière à bien le sentir, pétrissez à la manière d'une pâte, de plus en plus vigoureusement pendant deux minutes de chaque côté du cou (photo 44).
- L'action relaxante de ces mouvements est importante pour les muscles du crâne.

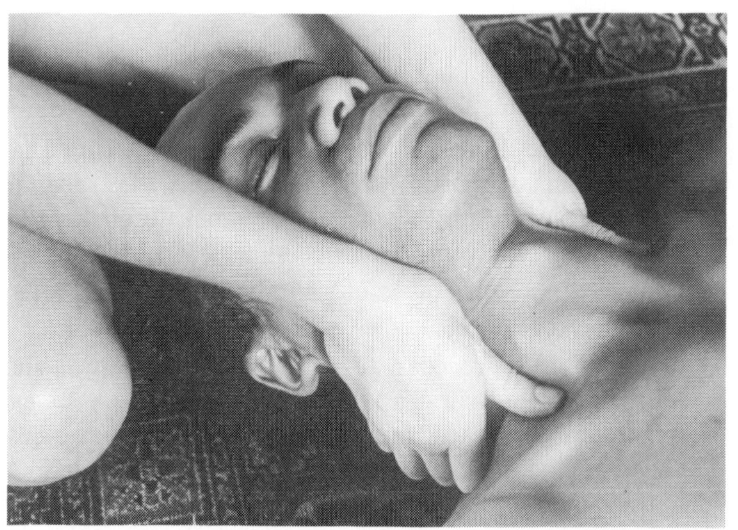

Photo 44

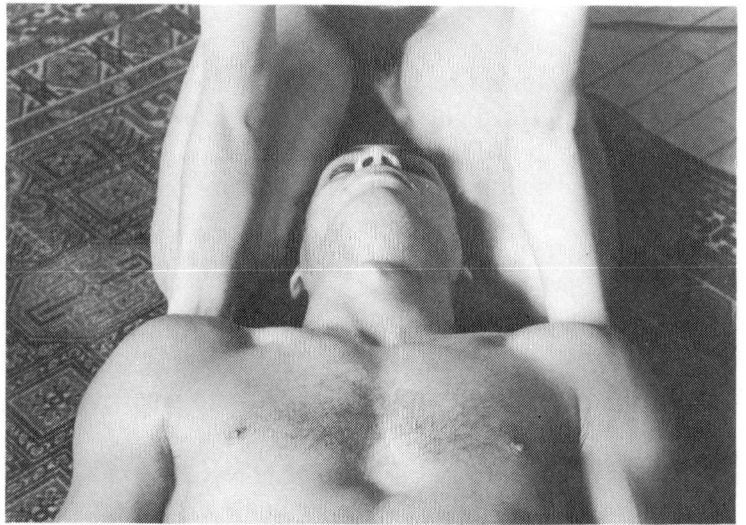

Photo 45

Rotation de l'épaule

- On prépare l'épaule à la série de manoeuvres en commençant par une traction de quelques secondes.
- Pour ce faire, le masseur se place derrière la tête de la personne massée. Il glisse ses deux mains sous chaque épaule et exerce un mouvement de secousse continu et très rapide, sans cependant être violent (photo 45).
- Ce petit mouvement de va-et-vient des mains a pour effet de relaxer en dégageant les articulations de l'épaule.
- On peut alors procéder au mouvement de rotation du bras. En tenant le bras à la verticale avec les deux mains (photo 46), le masseur fait tourner le bras dans un sens et dans l'autre très lentement, sans forcer le bras. Il le fait tourner cinq fois dans chaque sens.
  On doit continuer ce mouvement une vingtaine de secondes.

Rotation des poings

- Il faut maintenant relâcher au maximum les muscles du bras après l'effort fourni lors de la dernière manoeuvre. On va donc pratiquer d'abord un pétrissage profond et intense de l'épaule et du cou. Environ une minute de chaque côté.
  Les muscles du cou et des épaules sont alors prêts à la rotation du poing.
- Poser le poing fermé sur le muscle de l'épaule (photo 47) et le faire tourner en bougeant les doigts pendant une vingtaine de secondes en appliquant une pression moyenne.
- Quelques caresses tendres de toute la région du cou et des épaules apporteront une touche finale à cette première partie du massage intégral.

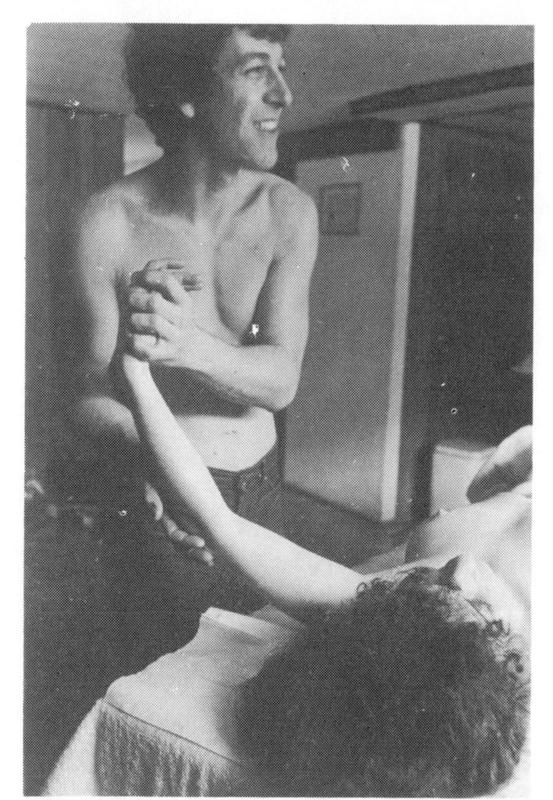

Photo 46

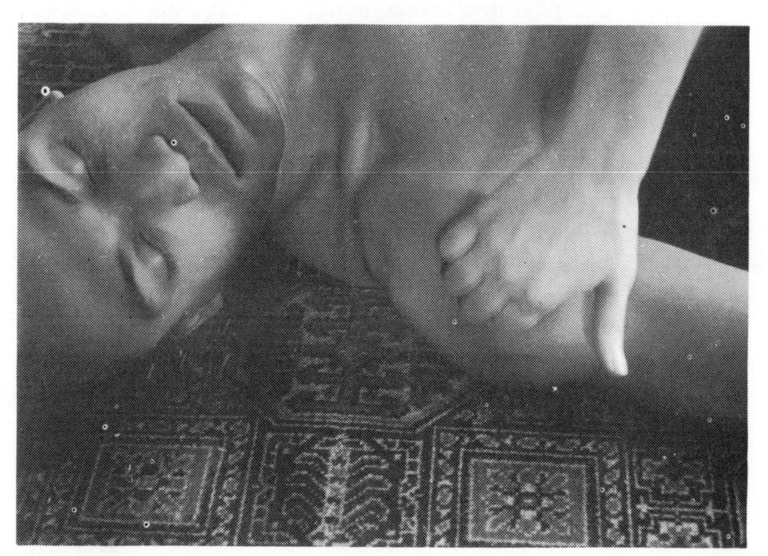

Photo 47

- Le masseur peut profiter de cette transition pour se reposer quelques instants avant d'entamer la Phase II. Cette pause ne doit pas être trop longue pour ne pas perdre le rythme et pour garder une continuité à la séance. Quelques minutes devraient suffire.

Phase II
(position sur le ventre)

Déplacement de la personne massée

Une fois le massage de la partie avant du corps terminé, le masseur demande à voix douce à la personne massée (qui est alors très détendue), de se retourner lentement sur le ventre. Il lui propose ensuite de s'agenouiller, afin d'installer un oreiller ou un coussin sous la région de la poitrine et du ventre.

Dans cette position, les fesses doivent être plus hautes que les épaules, et les épaules légèrement plus élevées que le cou (photo 48).

Il faut également soulever les chevilles pour les détendre suffisamment.

À l'aide de quelques coussins ou d'une serviette roulée, faire en sorte que les orteils ne touchent pas le sol. Les bras doivent être, soit placés le long du corps, si cette position est assez confortable, soit ramenés devant le visage en tenant une serviette (roulée en forme de beignet), pour que le nez ait amplement d'espace pour respirer.

Cette position de la tête aide aussi à décontracter les muscles du cou.

Photo 48

Rappel au masseur

Pour moins se fatiguer au cours de cette deuxième étape, le masseur doit apprendre à utiliser le poids de son corps pour exécuter les mouvements.

Plutôt que de forcer avec les bras, les mains et les jambes, le masseur doit bien sentir le poids de son corps et se mettre dans une position où il se sente en équilibre et bien à l'aise.

Lorsqu'il se sent engourdi parce qu'il a gardé trop longtemps la même position en massant, il ne doit pas avoir peur de changer de position; délicatement toutefois, pour ne pas brusquer le repos de la personne massée.

Avant d'entamer cette deuxième phase, il faut à nouveau se réchauffer les mains si nécessaire. On doit aussi se rappeler qu'il faut masser un membre au complet et ensuite l'autre (par exemple terminer tout le massage de la jambe gauche avant de commencer la droite).

Si le massage doit permettre une bonne relaxation à la personne massée, il ne doit pas être pénible pour le masseur. Ce dernier doit aussi apprendre à se détendre tout en accomplissant le travail nécessaire.

La pratique régulière conduit à la détente de la personne qui masse comme à celle de la personne massée.

Si on exécute le massage avec douceur, on peut plus facilement garder le même rythme et ce, sans trop se fatiguer.

Enfin il est important de rappeler que l'ajustement des respirations permet au masseur d'avoir une plus grande sensibilité et plus d'énergie pendant la séance.

Le dessous du pied et les orteils

À ce stade-ci du massage les manoeuvres seront plus complètes. Le massage des pieds exécuté au cours de la Phase I n'a servi qu'à préparer aux mouvements qui suivent.

Pour l'exécution de certaines manoeuvres, le genou de la personne massée devra être plié, afin de faciliter la descente du sang vers le coeur et ainsi permettre une meilleure circulation.

Dans la plupart des mouvements toutefois, la jambe restera allongée et les pieds devront être décontractés. Pour ce faire, le masseur doit veiller à ce que les coussins ou serviettes sous les pieds soient placés convenablement, de manière à ce que le pied ne touche pas le sol.

Pétrissage

- Ouvrir la série avec quelques minutes d'effleurement, de pression à deux doigts et de hachures légères sur la plante des pieds.
- Pour la manoeuvre suivante, plier le genou et pétrir le pied dans cette position pendant une quinzaine de secondes (photo 49).

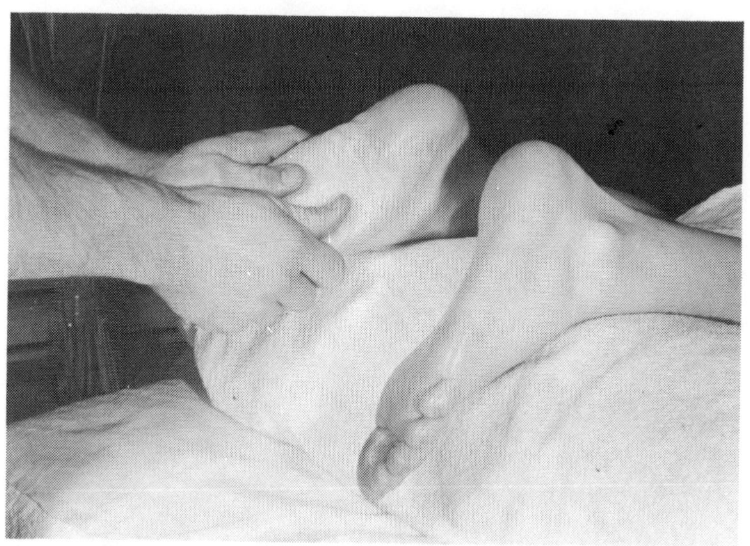

Photo 49

Coup de jointures brossé

- À l'aide des deux poings fermés, le masseur applique une série de coups sur la plante du pied en faisant glisser les jointures sur la peau (photo 50).
  C'est ce qu'on appelle le coup de jointures brossé.
- Cet exercice devient parfois amusant si la personne massée ne peut pas supporter le chatouillement produit par ce mouvement. Dans ce cas, passer au mouvement suivant.

Tendon d'Achille

- En tenant le tendon d'Achille entre le pouce et l'index (photo 51), effectuer un pétrissage à cet endroit pendant quelques secondes.

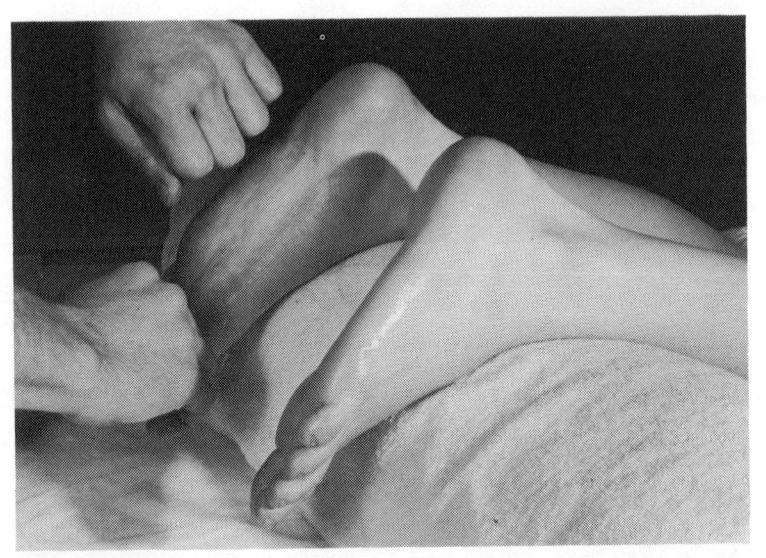

Photo 50

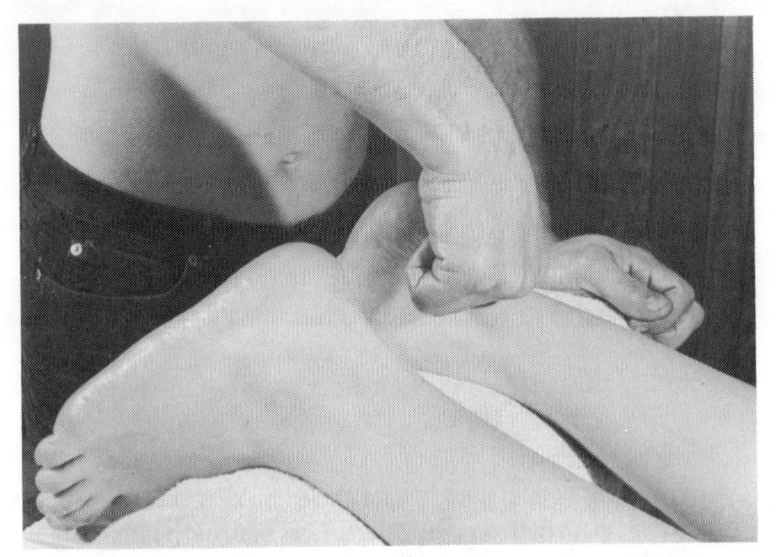

Photo 51

- Terminer avec un effleurement complet de tout le pied ainsi que du mollet pour éveiller cette zone avant de la masser en profondeur.
- Ce petit mouvement qui complète le massage du pied a pour effet d'épurer le sang et d'améliorer la circulation sanguine.

Le mollet

Les douleurs au mollet sont plus fréquentes qu'à la cuisse. Aussi faut-il redoubler de soin et d'attention pour travailler cette masse de muscles, et ne pas oublier d'exécuter les mouvements en direction du coeur, pour améliorer la circulation.

Torsion du mollet

- On commence à éveiller les muscles du mollet avec un peu d'effleurement en douceur, on enchaîne avec du grattage et une pression à deux doigts.
- Puis en appliquant les deux mains sur le mollet, on exerce une forte pression, comme pour tordre un linge (photo 52).
- Le mouvement doit être pratiqué pendant une quinzaine de secondes.

Essorage

- Pour essorer le masseur applique les deux mains autour de la cheville, en forme de bague, puis remonte jusqu'au genou en exerçant une bonne pression, pendant vingt secondes environ (photo 53).
- L'essorage est très efficace pour relaxer le mollet souvent fatigué par la marche.

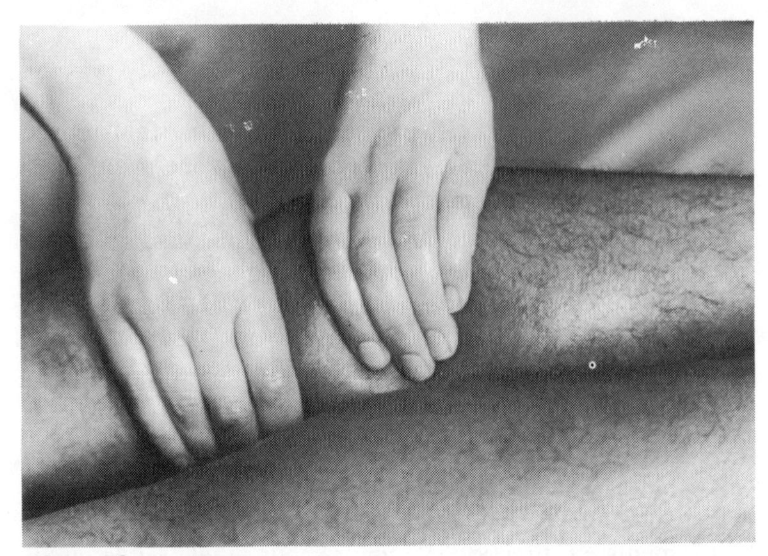

Photo 52

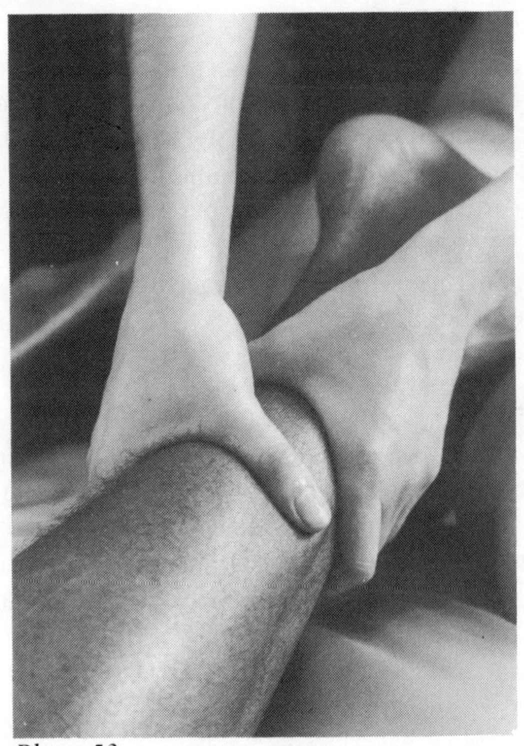

Photo 53

Hachures brossées

- Elles s'appliquent comme des hachures légères, mais en faisant glisser les mains sur la peau du mollet (photo 54).
- La pression doit augmenter graduellement.
- Ensuite, pour détendre les muscles à la suite de ces martèlements, on pose la paume de la main sur le mollet en effectuant un mouvement de vibration pendant environ quinze secondes.
- On termine par un effleurement complet du mollet et en enchaînant avec la cuisse.
- Les hachures du mollet sont très efficaces pour détendre les muscles.

La cuisse arrière

C'est une zone particulièrement intéressante à masser parce qu'elle est formée de nombreux muscles.

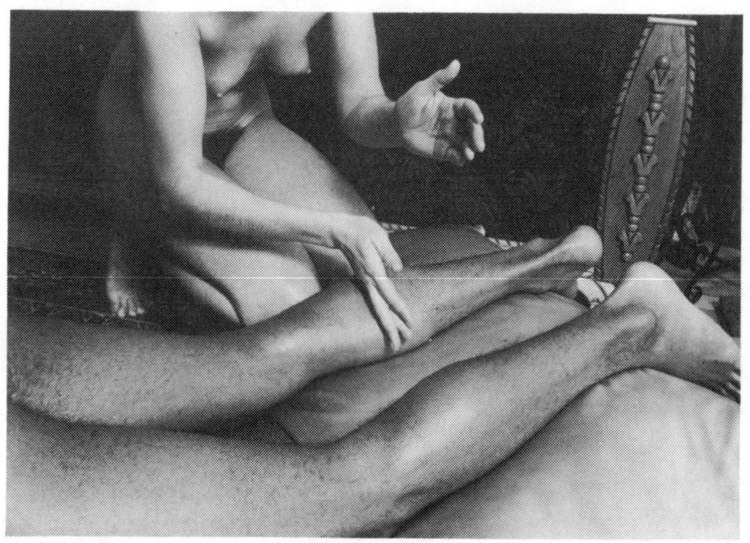

Photo 54

Chacun des mouvements se répète sur toute la cuisse. On masse donc tous les muscles en même temps et ainsi toute la cuisse est détendue simultanément.

Essorage de la cuisse arrière

- La manoeuvre peut être appliquée de la même manière que pour l'essorage de la cuisse avant, c'est-à-dire en plaçant les mains en forme de bague autour de la cuisse ou alors en posant les paumes des mains et en remontant avec une certaine pression (photo 55).
- Répéter ce mouvement une trentaine de secondes.

L'arbre

- Le masseur prépare la cuisse de la manière traditionnelle: grattage — pression à deux doigts — torsion — pianotage — hachures légères — pétrissage et hachures

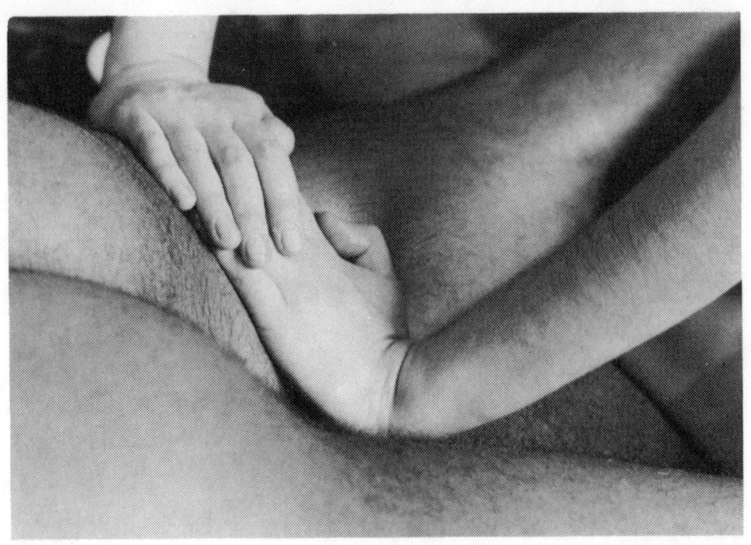

Photo 55

profondes. Toutes ces manoeuvres doivent précéder l'arbre pour une meilleure détente des muscles.

- La manoeuvre de l'arbre s'exerce en faisant glisser les deux mains le long de la cuisse en partant du genou jusqu'au bassin (photo 56), puis en redescendant de chaque côté pour revenir au point de départ (photo 57).
  Le mouvement est le même que celui de l'arbre ascendant du ventre.
- Le masseur fait ce mouvement une fois, de la façon décrite ci-dessus, puis il alterne avec un mouvement de refoulement de l'énergie vers l'extérieur, une fois arrivé en haut de la cuisse.
- Ce mouvement doit durer une trentaine de secondes. L'arbre de la cuisse a une action bénéfique sur les muscles et il est stimulant.

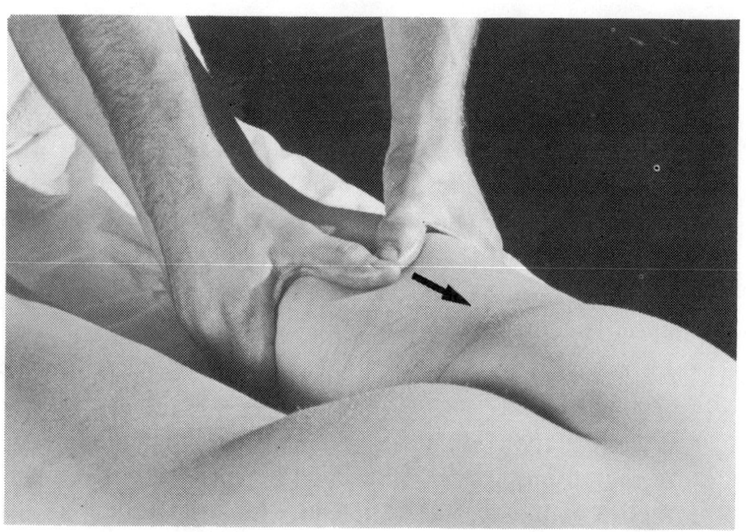

Photo 56

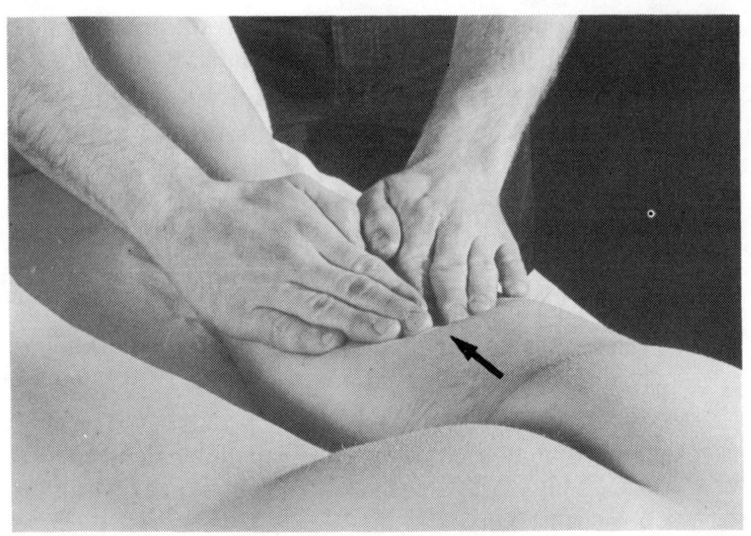

Photo 57

La pression "jambes croisées"

- Cette série de manoeuvres des jambes se termine par une relaxation des articulations.
- En croisant les deux jambes de la personne massée à la hauteur des chevilles (photo 58), on exerce une pression graduelle, lentement, sans forcer, en repliant les jambes vers les fesses (photo 59).
- Tenir la position deux secondes, puis redescendre tout aussi lentement.
- Le mouvement doit être répété pendant environ quinze secondes.
- À cette étape-ci du massage, un effleurement complet de la région postérieure du corps (des pieds à la tête), permettra au masseur de se détendre lui aussi, tout en caressant la personne massée.

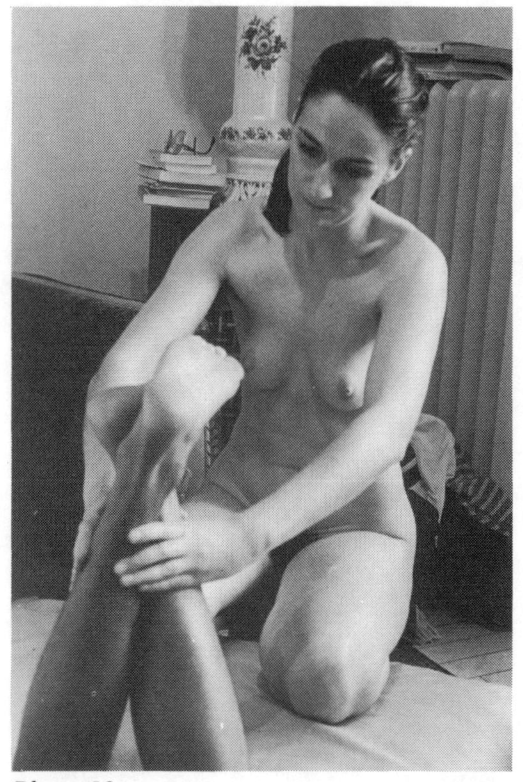

Photo 58

Les fesses

Il est impensable de vouloir relaxer le dos et les jambes et d'ignorer les fesses.

Cette partie du corps est à tort négligée, du fait du contenu sexuel qui y est souvent rattaché, surtout lors de la période d'effleurement.

Cette masse de muscles est énorme et profonde et doit être travaillée vigoureusement.

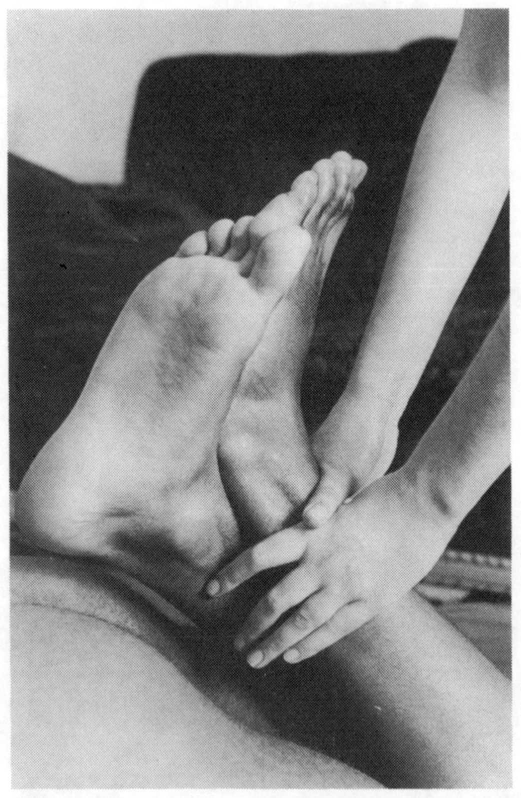

Photo 59

Tout comme pour les jambes, on commence à travailler une fesse, puis on répète les mêmes mouvements pour l'autre.

Hachures des fesses

- Les hachures aux fesses stimulent les muscles souvent écrasés lorsque la personne passe beaucoup de temps assise.

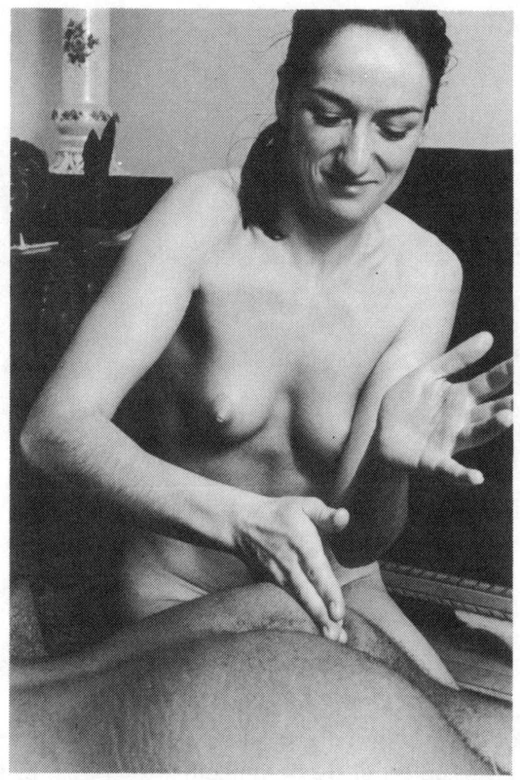

Photo 60

- Débuter d'abord par un grattage, une pression à deux doigts, un peu de pianotage et quelques hachures légères, pendant un minimum de trente secondes.
- On masse ensuite plus profondément en pétrissant vivement la fesse.
- On termine par quelques hachures profondes, en appliquant une plus forte pression que pour les hachures légères (photo 60).

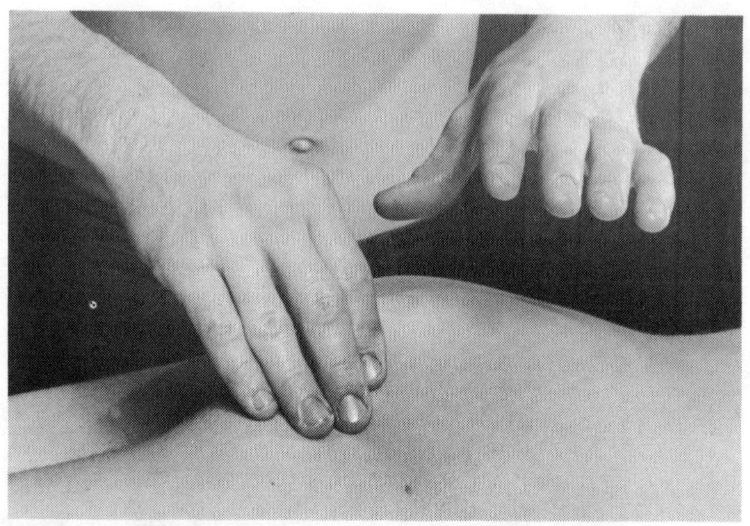

Photo 61

Fausse-pince

Pour éviter les rougeurs et les pincements, il est préférable d'ajouter un peu plus d'huile pour cet exercice.

- Le bout des doigts placés sur la peau de la fesse, le masseur effectue un geste de pincement vers l'extérieur, tout en glissant les doigts vers le centre de la surface soulevée (photo 61).
- Le mouvement se fait alternativement d'une main à l'autre et rapidement pendant une quinzaine de secondes.
- Pour ajouter une touche plus relaxante, on appuie une main sur chaque fesse en faisant un mouvement vibratoire très rapide d'environ quinze secondes (photo 62).
- La série se termine par un effleurement complet des deux jambes, des fesses, et du dos, pour le stimuler avant de commencer à le masser.
- La fausse-pince permet de tonifier les nerfs.

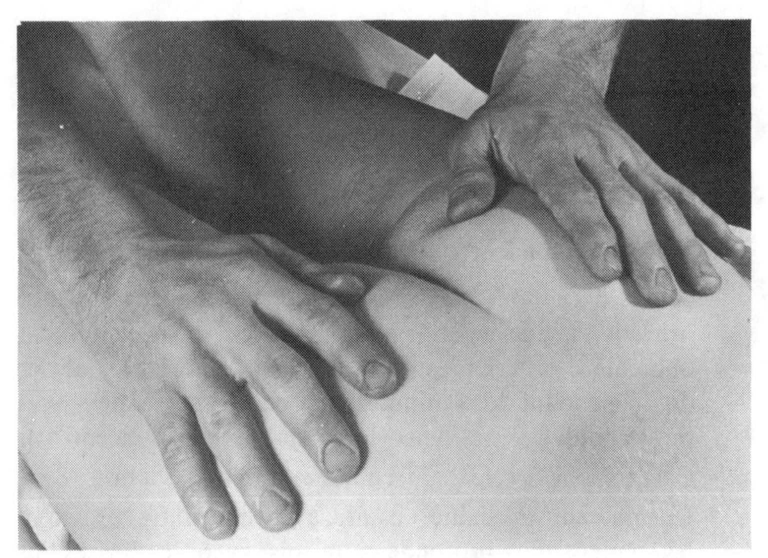

Photo 62

La colonne vertébrale

La détente de tout le corps dépend en grande partie de la colonne vertébrale. C'est la structure la plus souple et aussi la plus complexe du corps.

Il faut travailler cette région avec une extrême délicatesse. En effet les os de la colonne sont très fragiles. Le masseur doit voir à ne pas exercer une pression trop forte en massant autour des vertèbres. Ce sont les muscles situés de chaque côté de la colonne qui doivent être massés. En ne tenant pas compte de cet avis, on augmente les risques de déplacer un os dans la colonne.

Il faut redoubler de prudence lors de l'application des mouvements lorsqu'il s'agit d'une personne ayant une déformation de la colonne vertébrale.

Le massage vise à détendre les muscles et les articulations et non à remettre en place des os. (Pour toute déviation de la colonne vertébrale, remettez-vous-en à votre orthothérapeute ou chriropraticien ou vertébrothérapeute). À cause de sa structure osseuse, la colonne ne nécessite pas d'effleurement.

Pressions en profondeur

- Avant d'appliquer les pressions en profondeur, on doit procéder à une légère pression sur les muscles de chaque côté des vertèbres, de bas en haut, avec le bout des doigts pendant deux minutes environ. (Se servir de la première phalange des deux doigts en glissant doucement).
- Ceci relâche la tension, fréquente entre les vertèbres.
- Le masseur enchaîne ensuite avec une autre pression, légèrement plus profonde cette fois, entre les bosses des vertèbres (photo 63).
  L'action est relaxante pour les ligaments.

Pression glissante des pouces

- Avant de passer à la pression glissante des pouces, préparer la région en posant les paumes des mains sur les muscles de chaque côté de la colonne et les faire glisser de bas en haut pendant deux minutes (photo 64).
- Placer ensuite les deux pouces sur les muscles du côté gauche de la colonne juste au-dessus des fesses et remonter une à une les vertèbres jusqu'au cou, très lentement en mettant une *légère* pression (ne chercher qu'à détendre la colonne).
- Il faut se souvenir de masser les muscles, pas les vertèbres.
- Répéter le mouvement de bas en haut pendant deux minutes. Passer ensuite à l'autre côté de la colonne et recommencer la même manoeuvre.

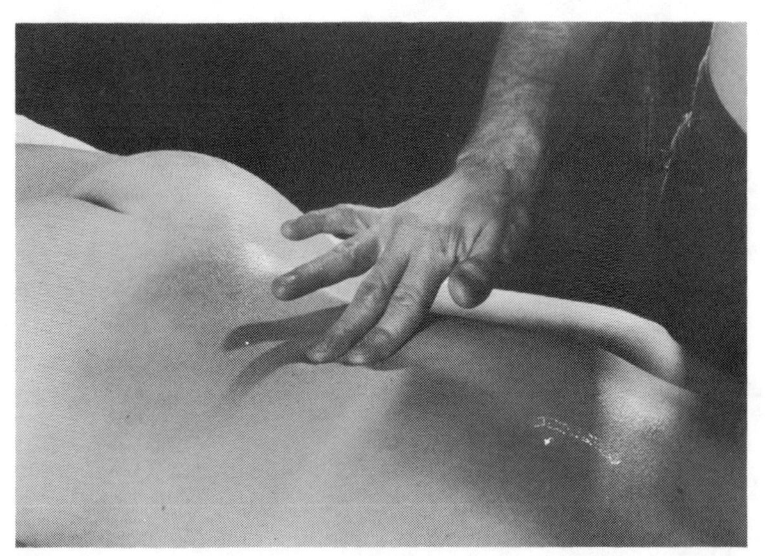

Photo 63

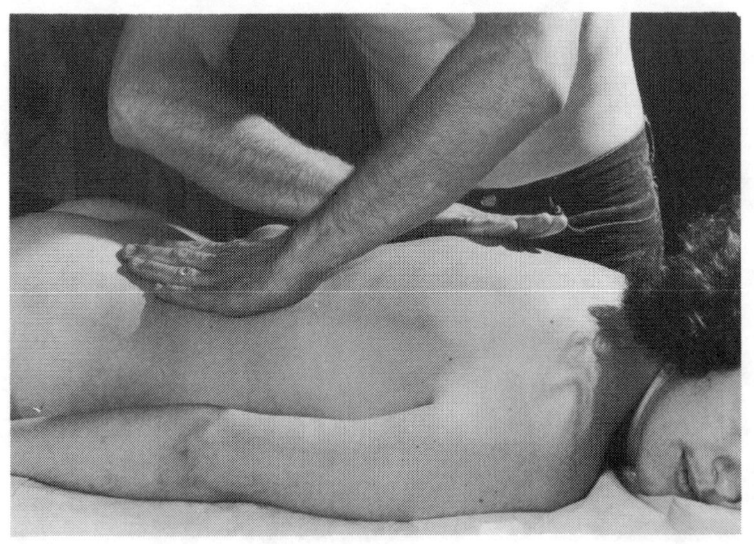

Photo 64

- Terminer la série par une pression de la colonne en faisant glisser les pouces de chaque côté des vertèbres simultanément (photo 65).
  Partir des fesses et remonter jusqu'au cou en mettant une légère pression pendant deux minutes environ.

Le dos

Cette partie du corps constitue la plus grande surface à masser.

La plupart des gens accumule suffisamment de tension dans cette région pour avoir besoin d'un massage de dos en profondeur tous les jours.

Voilà pourquoi il faut y attacher une grande attention en y accordant plus de temps qu'à toute autre partie du corps et en mettant beaucoup de soins à pratiquer chaque manoeuvre.

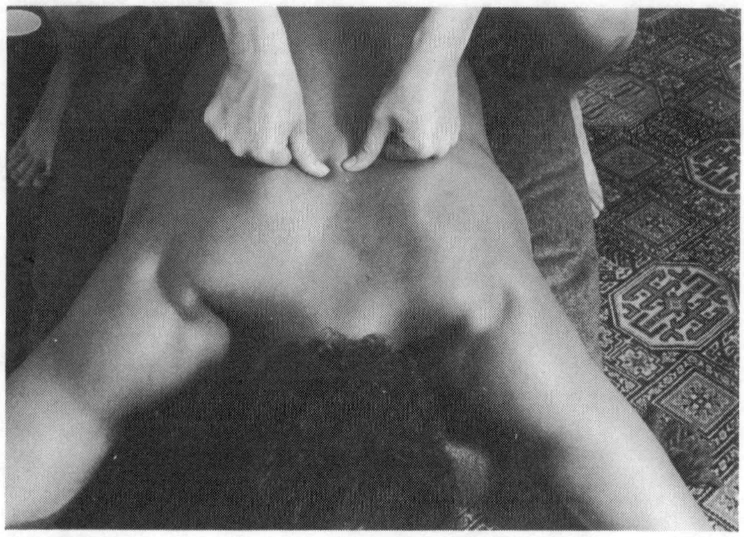

Photo 65

Il faut être très attentif à cette région sensible pour éviter de faire mal. En effet, les côtes sont en contact direct avec la peau, donc elles n'ont pas de couche de protection musculaire.

Pression à deux doigts

- Après avoir éveillé tout le dos avec un effleurement et un grattage d'une dizaine de secondes chacun, le masseur applique une pression avec les deux pouces dans toute la région du dos, pendant environ deux minutes et demie (photo 66).
- Il complète ces manoeuvres par un peu de pianotage et quelques hachures légères à pression très faible.

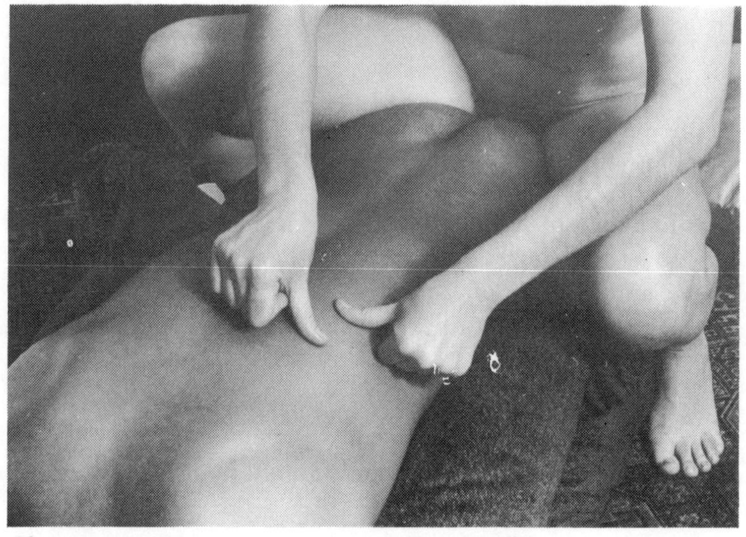

Photo 66

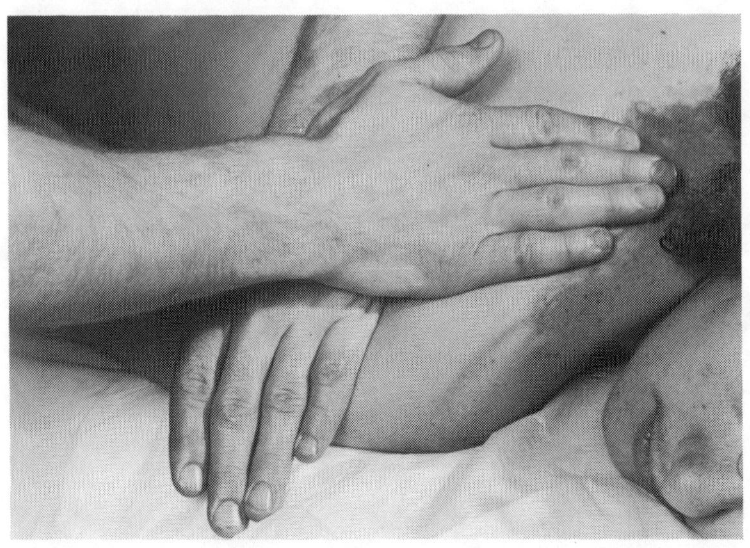

Photo 67

Ciseaux de l'épaule

- Les ciseaux des muscles se font en croisant les mains dans le sens des fibres musculaires de l'épaule, puis en séparant (photo 67).
  Une main va vers l'extérieur du corps et l'autre vers le centre du dos.

Le "8"

- Cette manoeuvre est agréable autant pour le masseur que pour la personne massée.
- Pour de meilleurs effets, commencer par détendre les

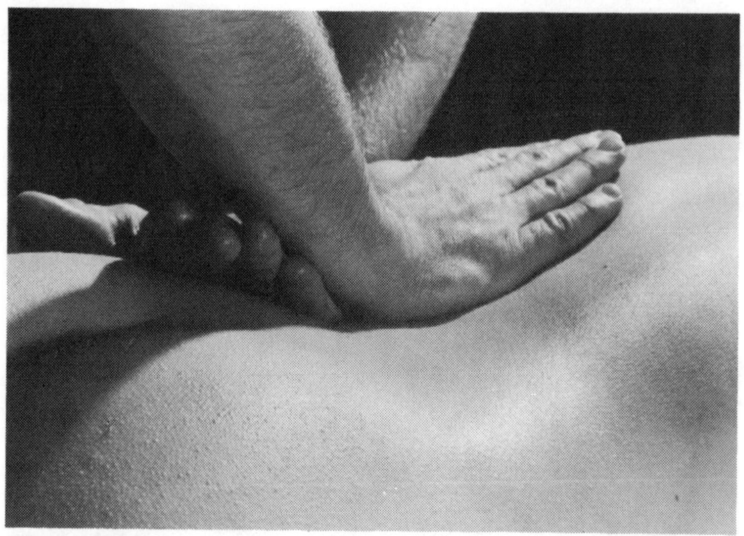
Photo 68

muscles spinaux (muscles de chaque côté de la colonne), en appliquant des ciseaux (identiques à ceux de la manoeuvre précédente), mais cette fois de chaque côté de la colonne vertébrale, dans la région lombaire située dans la partie du bas du dos (photo 68).

- Quelques hachures légères de la même région compléteront ce travail de détente.
- Pour effectuer le "8", le masseur place ses mains de chaque côté du dos à la hauteur des épaules et descend en couvrant toute la surface du dos, en traçant comme un huit (photos 69-70-71).
- Ensuite effleurer à peine la peau en répétant le mouvement pendant trente secondes environ.

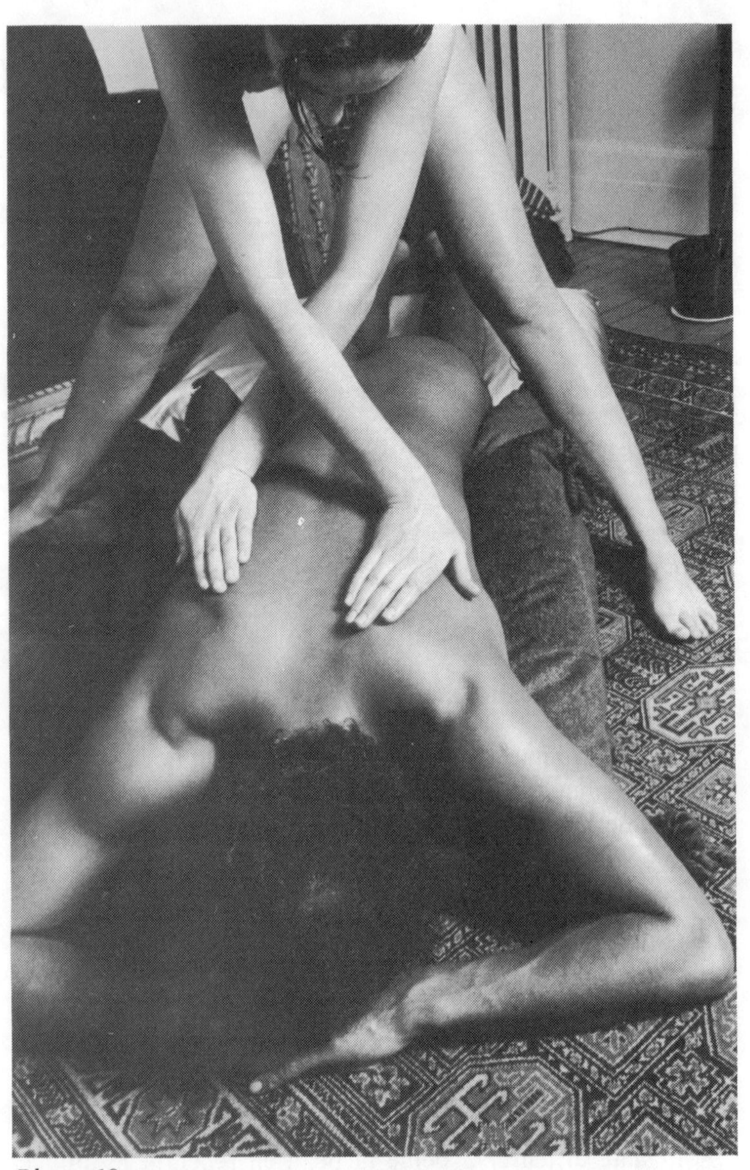

Photo 69

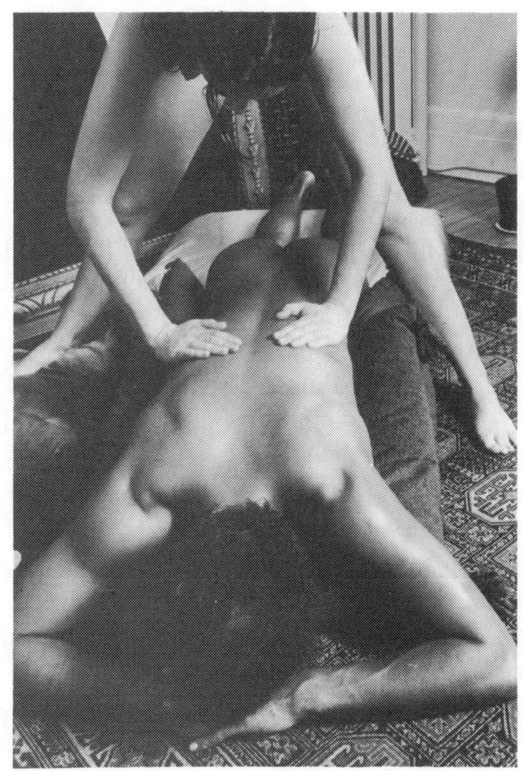

Photo 70

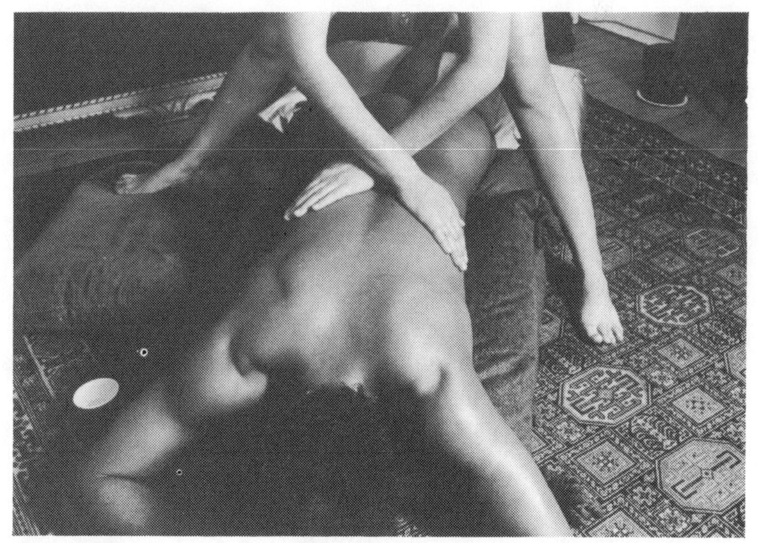

Photo 71

L'arbre du dos

L'arbre du dos s'effectue de la même manière que l'arbre du ventre.

- En appliquant les mains à la base du dos, on effleure jusqu'aux épaules, on chasse l'énergie de chaque côté vers l'extérieur, puis on ramène les mains au point de départ en longeant les côtes du dos, sans perdre contact avec la peau de la personne massée (photos 72-73).
- Pour un effet encore plus relaxant, il est possible d'exercer une variante, en faisant une légère traction des épaules (en les tirant légèrement vers l'arrière sans forcer). On revient ensuite au point de départ.
- Il est bon d'alterner: une traction, et un chassement d'énergie.
- De fausses-pinces à la hauteur des hanches (qui s'appliquent comme les fausses-pinces aux cuisses), ainsi qu'un effleurement complet des pieds à la tête, compléteront cette série.

  L'effleurement de la tête préparera alors cette région aux mouvements qui suivent.

L'arrière du cou et de la tête

Le massage de la tête est très important, parce que le cerveau est le centre de contrôle d'où partent et arrivent toutes les impulsions sensitives du corps.

Lorsque la personne est stressée ou nerveuse, la tête devient le siège de beaucoup de tensions qui provoquent souvent des maux de tête et des migraines.

Les manoeuvres qui suivent serviront à soulager ces maux de tête plus facilement et rapidement, ou aideront simplement à diminuer leur fréquence.

Cette relaxation se fera en deux temps.

Photo 72

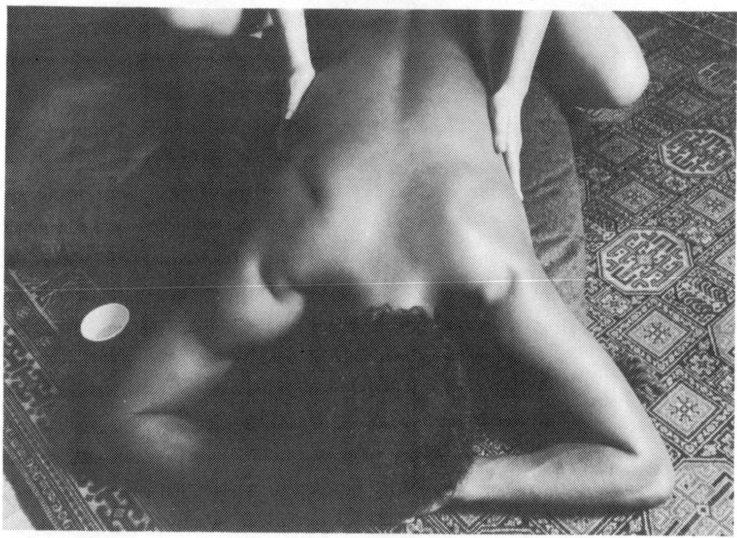
Photo 73

D'abord par une détente de l'arrière du cou (zone qui n'a pas été touchée au cours de la première phase du massage); puis par une stimulation en douceur de l'arrière de la tête.

Après un effleurement complet de la région arrière du cou, le masseur applique ses deux pouces dans le creux central du cou et les fait glisser de chaque côté avec une légère pression en les ramenant vers l'avant du cou.

Ceci détend la musculature.

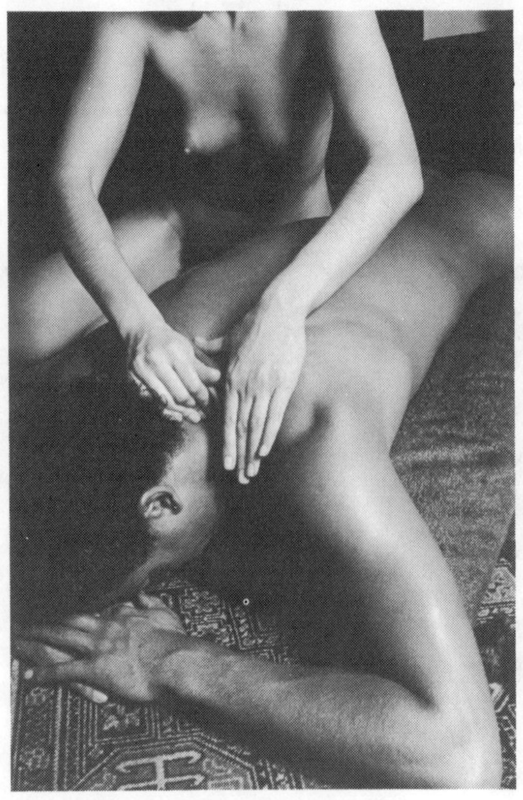

Photo 74

Pétrissage en profondeur

- Quelques secondes de grattage en douceur à l'arrière du cou éveilleront les muscles avant de les masser en profondeur.
- On termine la série en pétrissant les muscles de la même région pendant environ vingt secondes, puis en effleurant à nouveau toute la région délicatement (photo 74).

Grattage de la tête

- Continuer l'effleurement du cou en passant les mains partout sur la tête très légèrement.
- Sans perdre contact avec la tête, transformer l'effleurement en grattage du cuir chevelu (photo 75).
- Veiller à ne pas gratter trop fort pour ne pas irriter.

Photo 75

Pression de la tête

- Cette dernière manoeuvre de la série a pour but de relaxer la colonne vertébrale.
- La personne massée est toujours dans la même position à plat ventre.
- Le masseur pose une main sur le dessus de la tête et exerce une certaine pression pendant deux ou trois secondes et relâche (photo 76).
- La manoeuvre peut être répétée quatre à cinq fois.

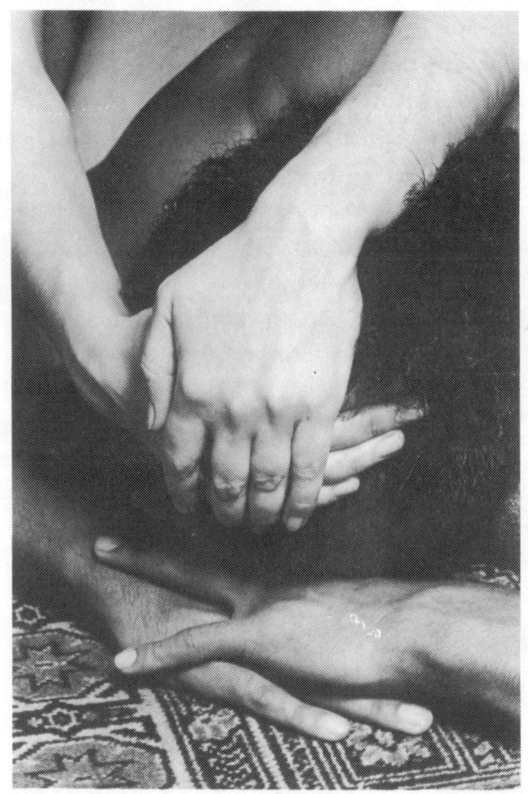

Photo 76

Cette deuxième phase du massage se termine par un effleurement complet de toute la surface du corps, des pieds à la tête pendant quelques secondes.

À nouveau, le masseur peut profiter de cette période d'effleurement pour se détendre avant de passer à la phase finale.

Phase finale

Nous voici à la troisième et dernière phase de la séance de massage intégral.

C'est ici que le masseur ajoute la touche finale à son oeuvre.

Il doit d'abord faire déplacer son sujet doucement, lentement, pour le ramener en position sur le dos.

De cette manière, le masseur est prêt à effectuer les derniers gestes concentrés sur le visage.

Le potentiel sensoriel du visage est encore mal connu. L'exploration sensuelle de cette région est donc une expérience exaltante et nouvelle à chaque fois.

C'est à cause de l'énergie emmagasinée par le cerveau que l'on termine le massage intégral par le visage. Pendant la séance, le cerveau a enregistré toutes les sensations de bien-être ressenti à travers tout le corps. Ainsi, cette accumulation d'énergie positive procurera une certaine euphorie relaxante, lorsque les parties du visage seront stimulées.

La personne massée trouvera alors une détente totale et profonde.

Le visage

L'oreille

- De nombreux points d'énergie entourent l'oreille.
- Pour les stimuler, il suffit de frotter devant l'oreille rapidement.

- On applique ensuite le même mouvement mais cette fois en contournant derrière l'oreille (photo 77).
- On termine en tirant légèrement le pavillon de l'oreille avec le bout des doigts vers le haut, le bas, l'arrière.

Balayage du front

- Poser les pouces au centre du front et les faire glisser de chaque côté vers les tempes, pour terminer en traçant un cercle imaginaire du bout des doigts sur les tempes (photo 78). Cette manoeuvre libère la tension des muscles du front lorsqu'elle est répétée pendant une vingtaine de secondes.
- Répéter le même mouvement mais cette fois en suivant les arcades sourcilières.
  Ce balayage a pour but de détendre la région des yeux.

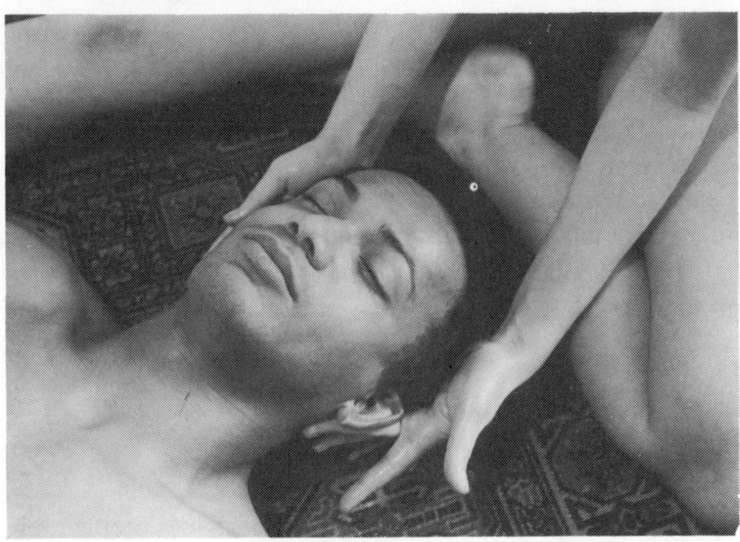

Photo 77

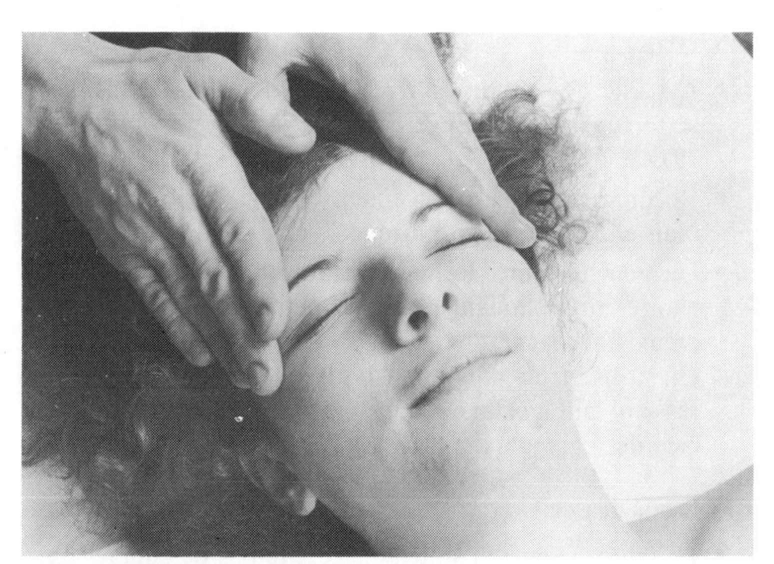

Photo 78

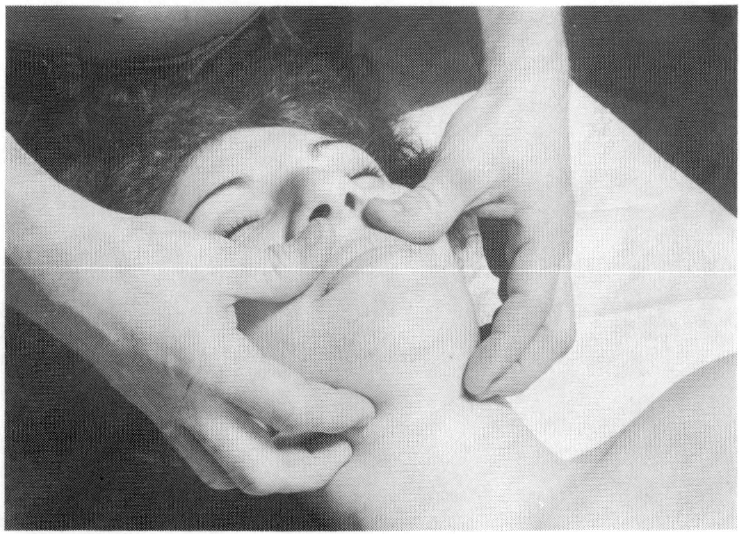

Photo 79

Les lèvres

- À l'aide des pouces, suivre la mâchoire au-dessus de la lèvre supérieure, en exerçant une légère pression (photo 79).
- Recommencer le mouvement sur la lèvre inférieure, mais en le poursuivant jusque sous le menton (photo 80).
- On peut terminer le massage de cette région de la mâchoire en appliquant de légers petits tapotements sur le creux des joues.
  On utilise trois doigts qui bougent dans un mouvement ressemblant à celui que fait une personne durant un exercice de jogging sur place.

Bioplasma de l'oeil

- Le mouvement qui suit ne nécessite pas de contact physique entre le masseur et la personne massée.

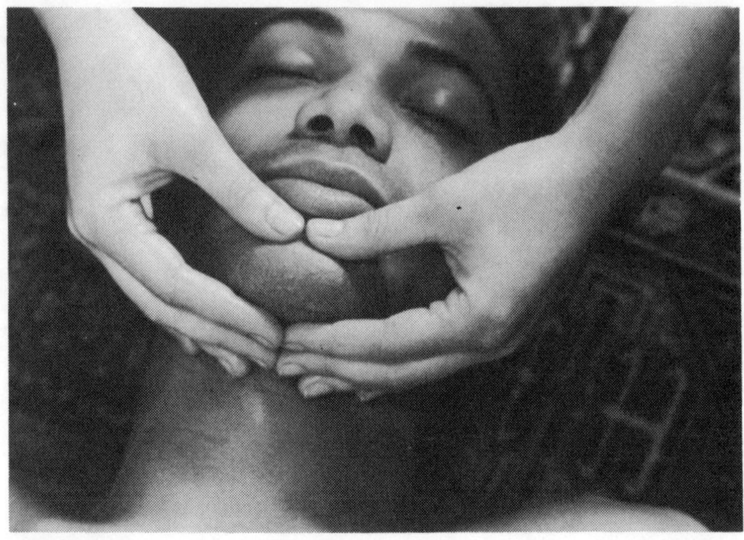

Photo 80

- L'effet du bioplasma de l'oeil se situe au niveau de la circulation d'énergie dans le corps.
- Frotter les mains ensemble et les placer ensuite, paumes tournées vers le bas, très près au-dessus des yeux de la personne massée, mais sans les toucher (photo 81).
- La chaleur produite sera ressentie par la personne massée et aidera à reposer l'appareil visuel interne.
- Le masseur peut recommencer cette opération plusieurs fois.

La touche spirituelle

- Cette dernière touche est symboliquement reliée à la spiritualité. Elle ne concerne pas le massage comme tel mais procure une sensation agréable.
- Selon les traditions orientales, il existe un point d'énergie intense situé entre les deux yeux, sur le front, juste au-

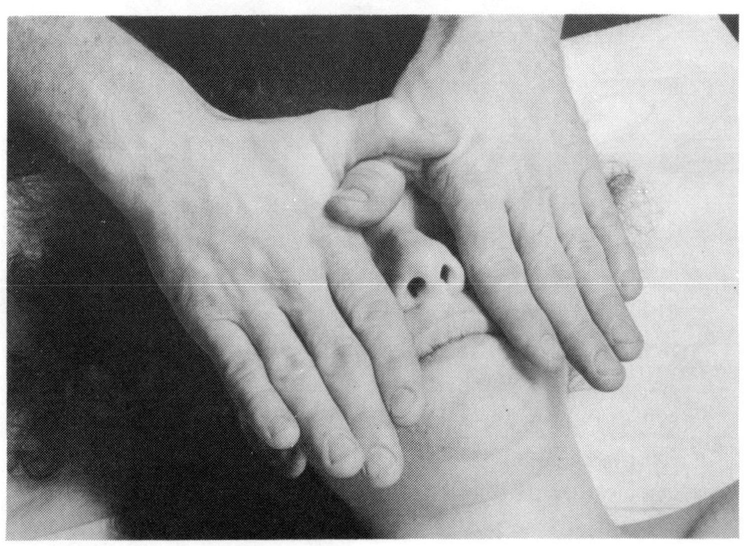

Photo 81

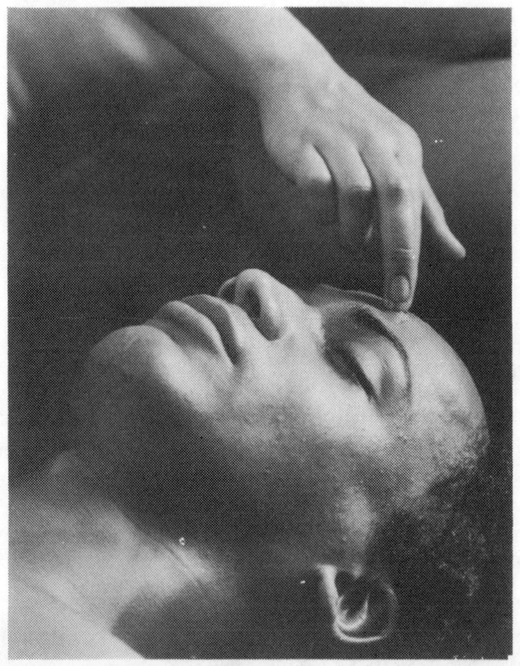

Photo 82

dessus de la racine du nez appelé: "3ème Oeil". D'après certaines philosophies anciennes le 3ème Oeil correspond à la vision mystique de l'être, au lien entre les mondes matériel et spirituel.

- Si le mouvement semble fantaisiste au premier abord, la sensation de détente qu'il procure est réelle et sera ressentie par la personne massée.
- On pose l'index et le majeur de la main droite sur ce point appelé "3ème Oeil" et on les fait tourner sur place en traçant un cercle qui s'ouvre et se referme sans cesse (photo 82).

- Ce mouvement en spirale doit durer au minimum deux minutes pour atteindre son plein effet.
- Le masseur peut terminer avec cet exercice ou compléter le massage par une exploration très tendre de toute la surface du visage avec le bout de ses doigts.
- À ce stade final, l'imagination des participants prend la relève.

III

Exercices pratiques supplémentaires

Le massage des enfants

Le premier contact physique de l'enfant a lieu à sa naissance, lorsqu'il se détache du sein maternel pour être reçu dans ce monde dans les mains de la personne qui aide à l'accouchement.

La chaleur humaine de ce contact procure au nouveau-né un sentiment de sécurité, surtout à ce stade si proche de la naissance où le toucher est son seul mode de communication avec le monde extérieur.

Par la suite, avec le développement des systèmes visuel, verbal, olfactif et auditif, l'enfant découvre rapidement d'autres façons autonomes de communiquer. C'est très souvent au cours de cette période que les contacts physiques avec les parents diminuent pour disparaître presque complètement à mesure que grandit l'enfant.

Le toucher naturel du corps par la voie du massage est un excellent moyen d'entretenir les contacts physiques; de plus, il aide activement au développement physique de l'enfant.

Le massage est aussi idéal pour aider à calmer un enfant trop nerveux ou trop tendu. L'enfant risque de bouger, d'être

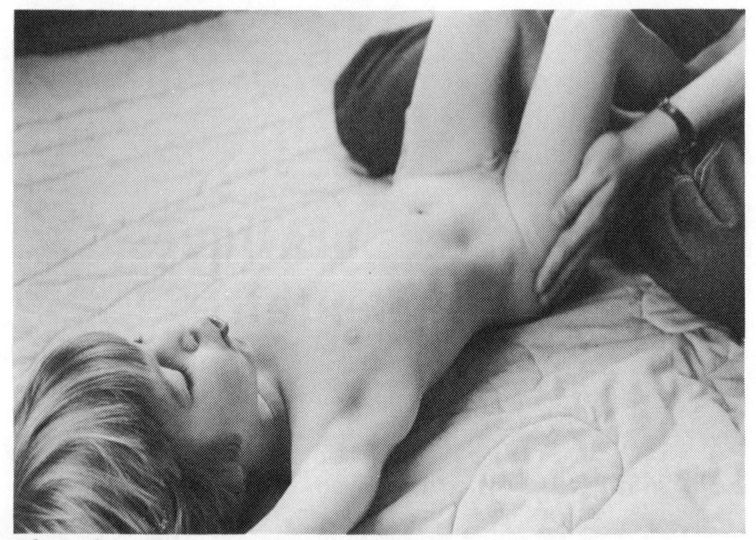

Photo 84

Photo 85

même surexcité lorsqu'on le masse la première fois. C'est naturel et on ne doit pas l'obliger à se tenir tranquille. Pour l'enfant, l'expérience du massage doit être vue comme un jeu grâce auquel il peut s'amuser.

Par l'intermédiaire de ce jeu subtil du toucher, l'enfant apprendra vite après quelques séances à profiter encore mieux des bienfaits du massage.

Une méthode efficace pour l'initier au massage consiste à masser doucement l'enfant pour l'aider à se détendre avant de s'endormir. Il aura accumulé une certaine fatigue au cours de la journée et se laissera donc aller plus facilement au sommeil une fois que son corps sera détendu.

Les indications pour le massage des enfants se résument à ceci:

- La fragilité de l'enfant entre 1 mois et 4 ans ne permet pas la pratique de manoeuvres compliquées.
  Les caresses très tendres suffiront.
- On peut commencer à donner le massage intégral présenté dans ce livre lorsque l'enfant a atteint l'âge de quatre ans environ. Il faut cependant veiller à exercer des pressions beaucoup plus douces que pour une personne plus âgée.

La personne qui masse doit manoeuvrer le corps de l'enfant avec beaucoup de tendresse et de délicatesse.

Le massage n'est-il pas l'une des plus saines marques d'affection que l'on puisse donner à son enfant ?

Le massage de la femme enceinte

L'état général de la femme enceinte ne permet pas un massage en profondeur. On doit respecter le développement calme et normal de l'enfant.

On peut ainsi pratiquer tout le massage intégral à une femme enceinte, mais en procédant avec une extrême douceur.

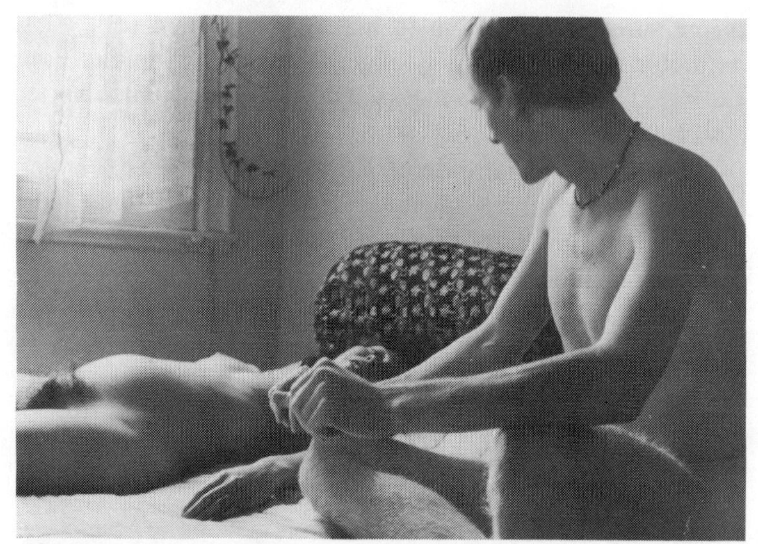
Photo 86

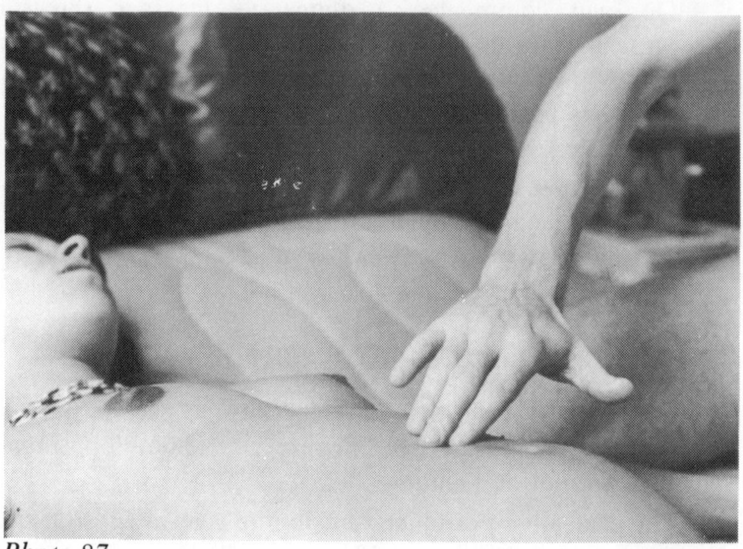
Photo 87

Si l'on doit exercer certaines pressions par endroits, elles se doivent d'être légères comme des caresses.

Avant de commencer, comme dans les autres cas, il est suggéré d'ajuster les respirations. De cette manière, le masseur sera plus sensible au rythme de la future mère.

Après tout, lorsqu'on masse une femme enceinte, n'est-ce pas aussi pour le bien-être de la vie nouvelle qui est en elle?

L'auto-massage rapide et efficace

Au cours d'une journée active, de nombreuses tensions s'accumulent et se logent dans diverses parties du corps.

Il en résulte des maux de tête fréquents, des étourdissements, des muscles endoloris.

Bref, une variété de petites douleurs désagréables qui ne disparaissent pas complètement, même après une nuit de sommeil et qui au contraire, refont surface dès les premiers instants du réveil.

Les exercices pratiques à faire soi-même qui vont suivre servent justement à faciliter le soulagement de ces malaises courants. Ces techniques simples procureront un sommeil plus réparateur, et ainsi un réveil sans courbatures.

La chaleur des mains à elle seule contribue à la détente de la région traitée. Aussi il est bon de les réchauffer, en les frottant ensemble rapidement, avant de commencer à masser l'une ou l'autre partie de notre corps.

Maux de tête

Les maux de tête quotidiens sont très répandus. Ils sont souvent dus à une accumulation de tensions au cours de la journée.

- Pour aider à soulager plus rapidement un mal de tête, poser une main à l'arrière de la tête et l'autre sur le front en refermant les paumes sur le crâne à la manière d'un étau (photo 88).

- Appliquer alors une légère pression avec chaque main.
- Répéter le mouvement pendant quinze secondes.

Étourdissements

Presque tout le monde connaît des étourdissements à un moment ou à un autre.

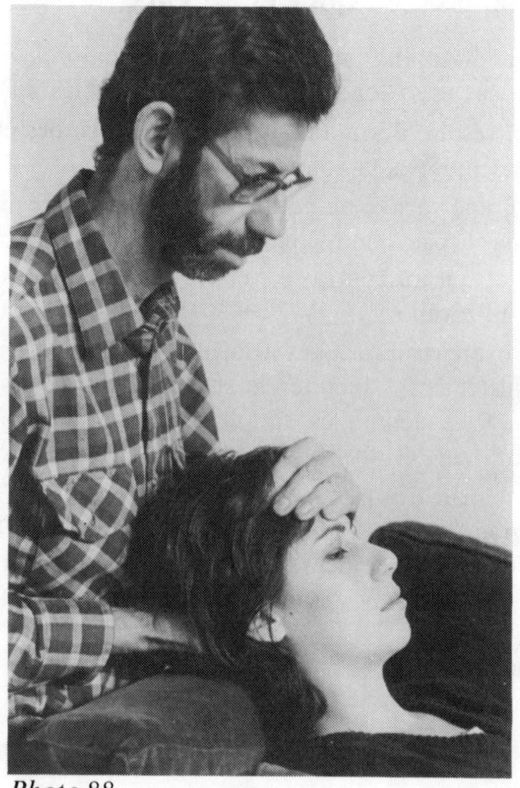

Photo 88

Photo 89

Ce phénomène s'explique par un manque d'oxygène au cerveau (quand on se lève trop rapidement par exemple ou qu'on n'a pas suffisamment de vitamine E dans le sang). En effet cette vitamine aide à la bonne circulation d'oxygène dans le sang.

- Pour rétablir l'oxygénation du cerveau lorsque survient un étourdissement, il suffit d'appliquer les mains doucement de chaque côté de la tête.
  Les oreilles doivent se trouver entre le pouce et les quatre autres doigts réunis ensemble (photo 89).
- Dans cette position, exercer une pression lente mais constante sur le crâne avec les mains, pendant quinze secondes. Puis relâcher.
- Cette technique aide à rétablir l'équilibre énergétique du cerveau.

Tension aux épaules

- On peut rester debout ou s'asseoir pour faire cet exercice et même s'agenouiller (rappelant un mouvement respectueux chrétien bienfaisant ou le yoga égyptien.)
- Avec la main droite, saisir la région située entre l'épaule gauche et le cou. Pétrir (photo 90).
- Pour faciliter le massage, décontracter l'épaule au maximum.
- Passer ensuite à l'épaule droite avec la main gauche et répéter le même mouvement de pétrissage.

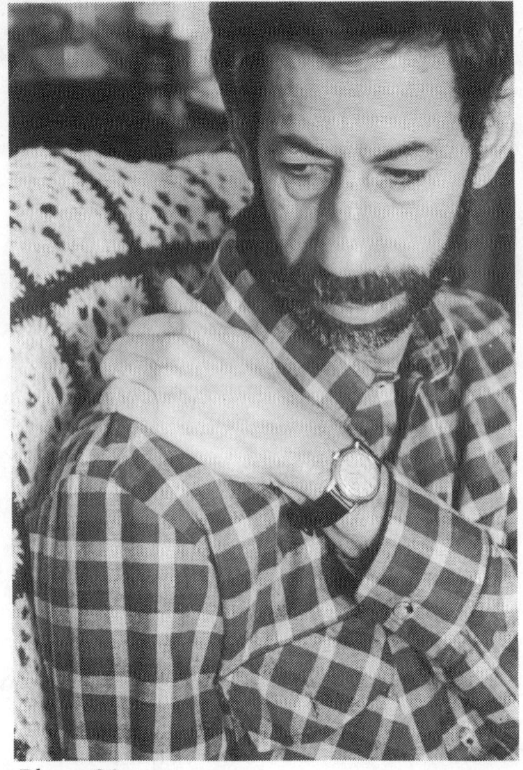

Photo 90

Maux de pieds

- Dans la position assis, on prend le pied entre ses mains de façon à pouvoir le masser facilement (photo 91).
- On pétrit toute la surface du pied de trente à soixante secondes.
- Si on ressent une douleur à un endroit précis du pied pendant le massage, on presse alors avec les pouces graduellement sur le point sensible. Presser ainsi 30 secondes et poursuivre le massage.

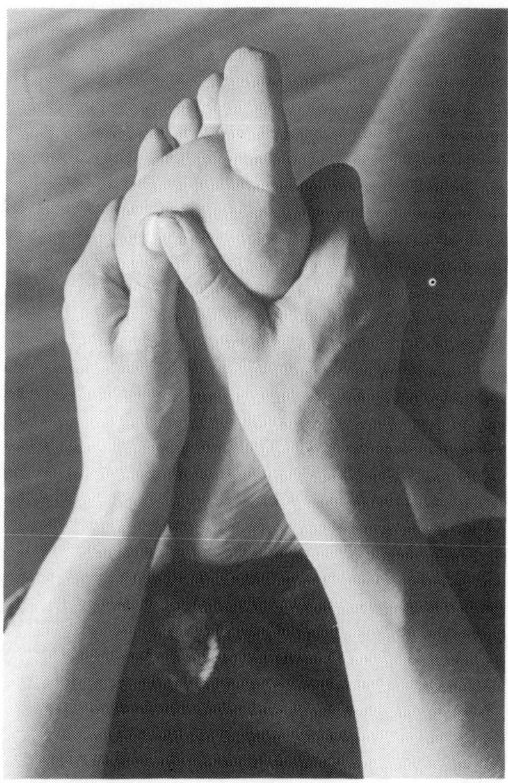

Photo 91

Entretien de la poitrine

L'exercice suivant est très utile aux femmes qui veulent conserver la fermeté de leurs seins, et tout aussi efficace pour raffermir la poitrine de l'homme.

- Avec la main gauche, on effleure la partie droite de la poitrine située sous l'aisselle, puis on la pétrit à fond. À pleine main si possible.
- On recommence le même mouvement avec la main droite sur le côté gauche.

Maux de jambes

Cette manoeuvre procure un vrai soulagement à ceux qui doivent passer de longues heures debout ou assis au cours de la journée.

Elle permet de détendre les muscles de la cuisse ainsi que d'enrayer les crampes fréquentes, aux mollets.

- Former une bague avec les deux mains autour de la cheville et remonter la jambe jusqu'au haut de la cuisse.

Ce drainage peut être pratiqué au moment de la douche ou du bain. Les muscles seront alors détendus par le contact de l'eau.

Cet exercice s'exécute toujours en remontant vers le coeur et en exerçant une bonne pression.

Petit conseil pratique à retenir:

Pour faciliter la circulation du sang des jambes vers le coeur pendant le sommeil et ainsi les sentir mieux reposées au réveil, soulever le pied du lit de deux pouces environ en glissant des blocs en dessous.

Conclusion

J'aimerais vous féliciter pour l'intérêt que vous portez à votre corps. Vous savez, le massage est tout un art car il fait appel à votre attention, à l'amour et à la pureté des pensées et des gestes portés à la personne massée.

Un petit conseil à ceux qui se sentiront intimidés devant la nudité de la personne massée: vous pouvez installer une serviette sur son sexe (lorsqu'elle est en PHASE II, sur le dos) afin que la personne massée soit libre de bouger à sa guise. Cela facilitera donc votre concentration. Vous pouvez simplement laisser aller le "feeling" et ne pas en avoir besoin (ce qui est plus commode).

Nous n'avons utilisé qu'un minimum d'accessoires lors de la séance de photos, afin qu'elles aient un cachet plus artistique.

Je suis convaincu que ce guide du *Massage pour tous* saura ramener votre conscience à la source pure de votre MOI intérieur.

Donné intégralement, ce massage pourra faire ruisseler quelques gouttes de sueur sur votre front et sur le bout de votre nez. Vous savez, le prix en vaut la chandelle. Il est des plus agréables de savoir que, grâce à votre sens du plaisir et du partage, une personne se sent plus détendue.

Il est bon de vous servir de toutes les techniques que ce livre apporte et même de quelques-unes de plus que vous ajouterez à votre propre technique. C'est ce que j'aime de la vie:

connaître de plus en plus afin de faire un meilleur choix et devenir un artisan en constante évolution. Je considère que ce livre apportera une lumière, une étincelle à tous ceux qui le prendront comme tel.

Ceux qui utiliseront le Massage intégral feront une merveilleuse découverte: EUX-MÊMES. Peu importe votre carrière, votre profession, votre travail, votre âge, il vaut la peine d'essayer de se relaxer une fois de temps en temps.

Que vous vous trouviez sur les plages du monde, à la campagne, dans votre appartement ou à la maison, prenez le temps de goûter à ce délice de la Vie.

Prenons conscience de notre corps, le plus souvent possible!

La Vie est entre vos mains et dans votre Coeur!

"BON MASSAGE À TOUS"

Table des matières

Achevé d'imprimer sur les presses de

L'IMPRIMERIE ELECTRA*
*Division de l'A.D.P. Inc.

Imprimé au Canada/Printed in Canada